知的生きか

インド式かんたん計算法

ニヤンタ・デシュパンデ　監修
水野 純　著

三笠書房

インド式計算が「あなたの脳」を磨く！

ニヤンタ・デシュパンデ
（グローバル・インディアン・インターナショナル・スクール日本代表）

「インドの人はなぜ、算数や計算が得意なの？」――。
　最近、日本の人たちから、このようなことをよく聞かれます。世界のＩＴ業界、金融業界で活躍するインド人が多いため、そのスキルの高さに、日本の人たちの関心が高まっているのでしょう。「インド式計算法」の本に注目が集まっているのも、そのためかもしれません。
　たしかに、インド人は算数や計算が得意です。
　ただ、それはインド人が「特別な能力」を持っているからではありません。能力というのは、インド人も日本人も中国人もアメリカ人も、みんな同じなのです。
　では、インド人は何が違うのでしょうか？
　インド人は「特別な教育」を受けているのです。「特別な教育」と言っても難しいものではなく、インドの子どもであれば誰もが楽しんで行なっている簡単なものです。たとえば、**「19×19」といった２ケタのかけ算を、楽しみながら瞬時に計算する**――といった方法を、インドでは伝統的に教えているのです。
　現在、私は日本で、日本在住のインド人子弟を対象としたグローバル・インディアン・インターナショナル・スクール(GIIS)という学校の日本代表を務めています。この学校でも、「インド式計算法」を授業に取り入れています。そのおかげで、私の学校の子どもたちは、みんな算数が大好きです。

インド人の子どもにできることが、日本人の大人や子どもにできないわけがありません。そのような思いから、私はこれまでテレビや雑誌を通じて「インド式計算法」のおもしろさ、素晴らしさを日本の皆さんに伝えてきました。

「インド式計算法」をできるだけかんたんに身につける――この小さな本は、それを一番の目的にしています。大人が読めば右脳が磨かれ、子どもが読めば数字感覚が磨かれるように作られています。

カレー、ヒンズー教、ガンディー……インドに対する日本の人たちのイメージは限られています。インド人として私はそれを悲しむどころか、むしろ日本の人たちが、インドに対して「苦手意識」を持っていない証拠としてうれしく思います。

日本とインドの交流はこれからますます活発になるでしょう。そのとき、「苦手意識」をお互いが持っていないことが、どれだけプラスになることか――私たちは非常に友好的な関係を結ぶことができるのです。

日本に住むインド人として、私は日本とインドを深く愛しています。この本が、この2つの国を結ぶ小さな架け橋になることを願っています。

もくじ

まえがき　インド式計算が「あなたの脳」を磨く！……3

本書の「かんたんな使い方」……8

1章　インド式かんたん「たし算・ひき算」
頭の回転が速くなる「3つのスキル」

スキル1　「キリのよい数で計算」が
インド式の基本！……12
「56＋38」は「54＋40」にして、かんたんに！

スキル2　ひき算を「たし算にして計算する」
インドの魔法……24
「7を見たら3」を頭の習慣にしてみよう！

スキル3　「たし算で考える」から、
インド人は頭がいい？……30
「たし算・ひき算が混じった式」も一気に解く！

2章　インド式かんたん「かけ算」
今日から算数脳になる「18のスキル」

スキル1　「2ケタ九九がスラスラ解ける」
マジカル・メソッド……40
「11×11」から「19×19」まで、こんなにかんたん！

スキル2　なぜこんなことが！
「72×78」を一瞬で解く法……45
かけ算「一の位の数をたすと10になる」場合

スキル3　「29×89」――答えは
この中に隠されている!?……51
かけ算「十の位の数をたすと10になる」場合

スキル4　9の不思議——
「999×683」はひき算で解く！ ……57
「9が続く」と必ず奇跡が起きる！

スキル5　11の不思議——たとえば
「34×11」は3秒で解ける!? ……63
「11のかけ算」はなぜ、こんなにかんたん？

スキル6　「100より大きいか・小さいか」——
ヒントはここにある！ ……69
「100を基準」として計算する法

スキル7　「1120×996」——
実践!　数字感覚を磨く法 ……78
「1000を基準」として計算する法

スキル8　「50」「30」「60」——
この数字に注意！ ……86
斜めにたすという「すごいテクニック」

スキル9　これが算数脳の原点！
インド式「すごい筆算」 ……92
「2ケタ×2ケタ」のインド式たすきがけ

スキル10　インド式筆算は
「ケタが大きいほどおもしろい！」 ……99
「3ケタ×3ケタ」のインド式たすきがけ

スキル11　すごい2乗算——
「75^2」「135^2」もすぐわかる！ ……106
「一の位が5の数」には、こんなトリックがあった！

スキル12　インドの天才が発見した
「かけ算の大神秘」とは？ ……111
最高の公式「$A^2-B^2=(A+B)\times(A-B)$」で遊ぶ！

スキル13　「136×134」——似ている数を
かけると「不思議なこと」が！ ……117
3ケタのかけ算は「まず、一の位を見る」

スキル14　「211×289」——
さて、この数から何が見える？ ……123
「下２ケタの合計が100」になる数は、要注意！

スキル15　４ケタかけ算——
「６本の線」を引くだけで！ ……129
「４ケタ×４ケタ」のインド式たすきがけ

スキル16　究極のかけ算——
「ここまで読んだ人」ならたちまち！ …137
「５ケタ×５ケタ」のインド式たすきがけ

スキル17　速い！　この計算力はもう
「自分の頭」とは思えない!? ……142
「２ケタ×３ケタ・４ケタ」のインド式たすきがけ

スキル18　数字マジック——「３乗」「４乗」も
瞬時に解く！ ……148
タネ明かし！「103^3・11^4がなぜサッとわかる？」

3章　インド式かんたん「わり算」
まだある！　頭がよくなる魔法「2つのスキル」

スキル1　「９でわるわり算」は、
式を見ただけでわかる？ ……160
「152」を「1+5+2=8」と考えると……なんと！

スキル2　「10046」を「100と46に分ける」
すごい技 ……165
「インド式かんたん計算」だから、わり算まで驚くほど楽しい！

COLUMN①　「インド」=「日本」×「9」……29
COLUMN②　インド人の「数学能力」はなぜ高い？ ……158
COLUMN③　「インド式計算」でＩＴ能力が高まる!? ……174

本書の「かんたんな使い方」

はじめての人でもスラスラわかる！

この本は、マジカル・メソッド(魔法のような方法、と訳しておきます)と呼ばれるインド式計算法のかんたんな入門書です。本格的ではありますが、インドの計算法にはじめて触れる人や、算数・計算は久しぶりという人に楽しくスラスラ読んでもらえるように、できる限りわかりやすく書いてあります。

驚きのスキル、すぐに使えるスキルを厳選！

数あるスキルの中から、「これはスゴイ！」と驚いてしまうスキルだけでなく、1回読んだだけですぐに使えるスキルを集めてあります。

謎解きのページで、魔法のタネ明かし！

スキルの紹介だけではなく、どうしてそんなマジックのような方法が使えるのかを、ていねいに証明・解説しています。それによってインド式計算法のおもしろさを感じてもらえるようにしてあります。

実践問題と、ていねいな解説付き

本書は体系的に作ってあります。第１章から順番に読み進めていくことで、無理なくスキルを身に付けていくことができます。それぞれのスキルごとに、ていねいな解説をつけてあります。

★　本書の使い方　★

1. えんぴつと紙を用意してください。
2. 第１章の最初から始めてください。
3. 解説を読みながら、実際に紙に書いてみましょう。
4. スキルを使って、問題を解いてみましょう。
5. 買い物など日常生活の中で、スキルが使える場面があったら、ぜひためしてみてください。

★　得する情報　★

＜補数《ほすう》＞

ある数と10、100、1000といった10の倍数である数（基準とする数。キリのよい数）との差を補数と言います。たとえば、6の10に対する補数は、10－6＝4なので、４になります。基準となる数は、ある数に近い数をとることが多いですが、基準を９や99などの数にすることもあります。

＜式の表し方＞

$10 \times a$を$10a$、$a \times b$をab、$a \times a$をa^2のように、「×」を省いて表すことができます。

＜2ケタや3ケタの数の表し方＞

十の位の数が3で、一の位の数が5である数35が$10 \times 3 + 5$と表せるように、十の位がaで一の位がbである数は、$10 \times a + b$とか$10a + b$と表します。3ケタの数なら、$100a + 10b + c$のように表します。

＜分配法則《ぶんぱいほうそく》＞

$a \times (b + c)$は、$a \times b + a \times c$と計算します（$ab + ac$と書くこともあります）。また、$(a + b) \times (c + d)$は、$a \times c + a \times d + b \times c + b \times d$と計算します（$ac + ad + bc + bd$と書くこともあります）。

＜数字や文字でまとめる＞

分配法則の逆の考え方を使って、$10a + 10b$を$10(a + b)$と10でまとめたり、$100ab + 100ac$を$100a(b + c)$というようにまとめることができます。

編集協力　さとう編集工房

インド式かんたん

たし算・ひき算

頭の回転が速くなる「3つのスキル」

くり上がりのときには「・」を打ち、
ひく数の上にはバーを付ける。
見たこともないたし算・ひき算。
ようこそ、インド式計算法の世界へ！

1章

スキル1

「キリのよい数で計算」がインド式の基本!

「56+38」は「54+40」にして、かんたんに!

さあ、数の楽しい旅の始まりです。頭の準備運動から始めましょう。まずは2ケタのたし算です。キリのよい数にしてたし算すると、驚くほどかんたんに答えが出ます(キリのよい数にするための数を補数といいます)。

56+38　の場合

❶ たす数38に2をたして、キリのよい数(一の位が0になる数のことです)になおします。たした数の2を覚えておきます(この2が補数です)。

38+2=40

❷ たされる数56に40をたします。

56+40=96

❸ ❶で覚えておいた数(キリのよい数を作るためにたした数)を、❷の数からひきます。

96−2＝94

答えは、94です。
（余分に2をたしたので、あとから2をひかなければならないのですね）

流れをまとめると、

1. たす数に、適当な数をたしてキリのよい数を作ります（この適当な数字が補数です）。

2. キリのよい数を、たされる数にたします。

3. そこから1でたした補数をひきます。

と、なります。**これが「インド式かんたん計算法」の基本です。**
では、もう一度やってみましょう。

47＋49　の場合

❶ たす数49に補数1をたして、キリのよい数になおします。たした数の1を覚えておきます。

49＋1＝50

❷　たされる数47に50をたします。

$$47+50=97$$

❸　❶で覚えておいた補数を❷の数からひいて、できあがりです。

$$97-1=96$$

どうですか？「キリのよい数にする」ことで、計算がグンと速くできますね。

次は、

$$65+39+87$$

を使って、インド式「くり上がりが楽しくなるたし算」を紹介します。

❶　65と39と87をたてに並べて筆算の準備をします。

```
      65  ↑
      39  │
  +   87  │
 ──────────
```

❷　一の位の数字を下から順にたしていきます。

7+9=16、たしていった数が10を超えたところで、その数の上に「•」を打ちます。ここでは9の上に「•」を打ちます。その「•」1つが1のくり上がりを表します。そして、1の位の数6を再びたし上げていきます。

6+5=11、また、10を超えたので5の上にも「•」を打ちます。そして、11の1の位の数の1は下へ書きます。

```
    •
    5  ↑
    •
    9
+   7
-----
    1
```

❸ 次に十の位に進みます。一の位に「•」が2つあるので、くり上がりの2を十の位のいちばん下の数8にたしてから、下から上へ数字をたし上げていきます。

2+8=10、ここで10を超えたので8の上に「•」を打ちます。10の1ケタの数0を再びたし上げていきます。

0+3=3、3+6=9

9を下へ書きます。

```
     •
    65  ↑
     •
    39
    •
+   87
------
    91
```

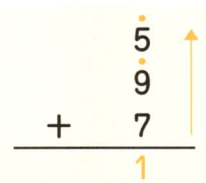

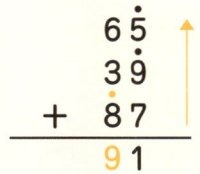

④ 百の位は、十の位に「・」が１つあるので１となります。その１を下に書いて、できあがりです。

$$\begin{array}{r} 6\dot{5} \\ 3\dot{9} \\ +\ \dot{8}7 \\ \hline 191 \end{array}$$

たしていく数が増えていくにつれて、「・」を打つ回数も増えてきました。でも「・」の数や、たす数が増えてもかんたんなままなのです。

97＋81＋73＋32　の場合

① まずは、ふつうに筆算の準備をします。

$$\begin{array}{r} 97 \\ 81 \\ 73 \\ +32 \\ \hline \end{array}$$

一の位の数字を**下から順に**たしていきます。

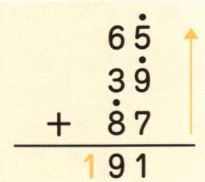

2＋3＝5、5＋1＝6、6＋7＝13

たしていった数が10を超えたので、**7の上に「・」を打ちます。**その「・」１つが１のくり上がりを表します。13の3は、そのまま下に書きます。

$$\begin{array}{rr} & \dot{7} \\ & 1 \\ & 3 \\ + & 2 \\ \hline & 3 \end{array}$$

❷ 次に十の位へ進むのですが、一の位に「•」が1つあるので、「•」1つを1と考えて十の位のいちばん下の数3にたしてから、下から上へ数字をたし上げます。

1+3=4、4+7=11、10を超えたので、ここで7の上に「•」を打って、再び1の位の数をたし上げていきます。1+8=9、9+9=18

また10を超えたので、ここで9の上に「•」を打ち、8は下へ書きます。

$$\begin{array}{rr} & \dot{9}\dot{7} \\ & 81 \\ & \dot{7}3 \\ + & 32 \\ \hline & 83 \end{array}$$

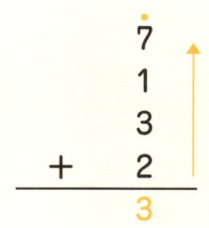

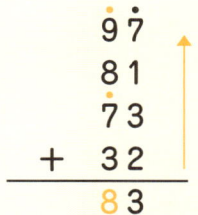

❸ 十の位に「・」が2つあるので、百の位に2を書いて、できあがりです。

くり上がりの数が大きくなるようなたし算でも、「・」を打ちながら進めていけば、いつも1ケタのたし算をしていけばよいことになります。

$$\begin{array}{r} \dot{9}\dot{7} \\ 81 \\ \dot{7}3 \\ +\quad 32 \\ \hline 283 \end{array}$$

この方法は、上から下へと逆方向にたしていくこともできます。ケタ数が増えても、つねに1ケタのシンプルたし算。これが「インド式かんたん計算法」なのです。

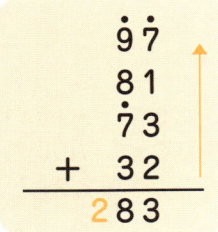

5784＋3325＋7809＋4537

で確かめてみましょう。

```
   5784           5784
   3325           3325
   7809    ⇒      7809
 ＋4537         ＋4537
 ------         ------
                 21455
```

❶ 一の位は、　4＋5＝9、9＋9＝18
（ここで、9の上に「・」を打ちます）
8＋7＝15
（ここで、7の上に「・」を打ちます）
下には、5を書きます。

❷ 十の位は、一の位に「・」が2つあるので、
2＋8＝10
（ここで、8の上に「・」を打ちます）
0＋2＝2、2＋0＝2、2＋3＝5
下に5を書きます。

❸ 百の位は、十の位に「・」が1つあるので、
1＋7＝8、8＋3＝11
（ここで、3の上に「・」を打ちます）
1＋8＝9、9＋5＝14
（ここで、5の上に「・」を打ちます）
下に4を書きます。

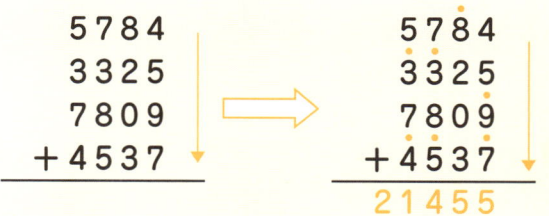

④ 千の位は、百の位に「•」が2つあるので、

2+5=7、7+3=10

（ここで、3の上に「•」を打ちます）

0+7=7、7+4=11

（ここで、4の上に「•」を打ちます）

下に1を書きます。

⑤ 最後に、千の位に「•」が2つあるので、万の位に2を書いて、できあがりです。

5784+3325+7809+4537=21455

日本式だと、ケタ数が大きくなったり、くり上がりが何度も出てくると、計算がいやになってしまいがちですが、こんなシンプルなたし算のくり返しなら楽しく解けますね。

実際に鉛筆を持って、紙に書きながら、次のページの問題を解いてみてください。慣れてくると、スピードが速くなり、一気に解けるようになります。

頭がよくなる練習問題

答えは次のページにあります。

①～③はキリのよい数、④～⑫は筆算で、答えを求めてみましょう。(⑥、⑦、⑩、⑪は上からたす)

① 35＋49＝

② 58＋24＝

③ 67＋18＝

④ 16＋34＋72＝

⑤ 29＋45＋98＝

⑥ 96＋67＋81＝

⑦ 52＋47＋75＋46＝

⑧ 395＋486＋812＋798＝

⑨ 4541＋2782＋5917＋7876＝

⑩ 4738＋3193＋6757＋2703＝

⑪ 78253＋46328＋50964＋78195＝

⑫ 33885＋76293＋48725＋36450＝

目からウロコの解答

① 35+49=84

49+1=50

↓

35+50=85

↓

85−1=84

② 58+24=82

24+6=30

↓

58+30=88

↓

88−6=82

③ 67+18=85

18+2=20

↓

67+20=87

↓

87−2=85

④

$$\begin{array}{r} 16 \\ 34 \\ +\quad 72 \\ \hline 122 \end{array}$$

⑤

$$\begin{array}{r} 29 \\ 45 \\ +\quad 98 \\ \hline 172 \end{array}$$

⑥

$$\begin{array}{r} 96 \\ 67 \\ +\quad 81 \\ \hline 244 \end{array}$$

⑦

$$\begin{array}{r} 52 \\ 47 \\ 75 \\ +\,46 \\ \hline 220 \end{array}$$

⑧

$$\begin{array}{r} 395 \\ 486 \\ 812 \\ +\,798 \\ \hline 2491 \end{array}$$

⑨

$$\begin{array}{r} 4541 \\ 2782 \\ 5917 \\ +\,7876 \\ \hline 21116 \end{array}$$

⑩

$$\begin{array}{r} 4738 \\ 3193 \\ 6757 \\ +\,2703 \\ \hline 17391 \end{array}$$

⑪

$$\begin{array}{r} 78253 \\ 46328 \\ 50964 \\ +\,78195 \\ \hline 253740 \end{array}$$

⑫

$$\begin{array}{r} 33885 \\ 76293 \\ 48725 \\ +\,36450 \\ \hline 195353 \end{array}$$

スキル2

ひき算を「たし算にして計算する」インドの魔法

「7を見たら3」を頭の習慣にしてみよう！

たし算で頭のウォーミングアップはできましたか？次は、やはり補数を使ってキリのよい数にして、くり下げのあるひき算の暗算をしてみましょう。

65−27　の場合

❶ ひく数27に3をたして、キリのよい数（一の位が0になる数のことです）になおします。たした数の3を覚えておきます（この3が補数です）。

$$27+3=30$$

❷ ひかれる数65から30をひきます。

$$65-30=35$$

❸ ❶で覚えておいた補数（キリのよい数を作るためにたした数）を、❷の数にたします。

$$35+3=38$$

答えは、38になります。
（今回は、ひかれる数から３を余分にひいてしまったので、あとで３をたしています）

流れをまとめると、

1. ひく数に、適当な数をたしてキリのよい数を作ります（この適当な数字が補数です）。

2. キリのよい数を、ひきます。

3. そこに１でたした補数をたします。

と、なります。

キリのよい数を使ってのひき算をもう１つ。1000や10000から数をひくときの、計算法です。買い物をしたときの「おつり」の計算などに使えます。

1000－826　の場合

❶ ひく数の百の位の数８に、いくつをたしたら9になりますか？　8＋1＝9　なので、１ですね。これが、答えの百の位の数になります。

1□□

❷　十の位の数2に、いくつをたしたら9になりますか？　2+7=9　なので、7ですよね。これが、答えの十の位の数です。

17□

❸　一の位だけは❶・❷とは違い、たして10になる数を求めます。6+4=10なので、4です。これが一の位の数です。

174

（つまり、一の位はたして10、他の位はたして9になる数を求めればよいのです）
10000−3917ならば、

3	9	1	7
たして9 ↓	たして9 ↓	たして9 ↓	たして10 ↓
6	0	8	3

と、答えの6083を求めることができます。
日本式の解き方より、何倍も早く解けますね！

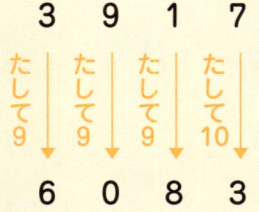

頭がよくなる練習問題

答えは次のページにあります。

ここで学んだスキルを使い、答えを求めてみましょう。

① 64－27＝

② 81－36＝

③ 75－58＝

④ 94－65＝

⑤ 1000－351＝

⑥ 1000－828＝

⑦ 10000－7143＝

⑧ 10000－6506＝

目からウロコの解答

① 64−27=37

27+ 3=30

↓

64−30=34

↓

34+ 3=37

② 81−36=45

36+ 4=40

↓

81−40=41

↓

41+ 4=45

③ 75−58=17

58+ 2=60

↓

75−60=15

↓

15+ 2=17

④ 94−65=29

65+ 5=70

↓

94−70=24

↓

24+ 5=29

⑤ 3 5 1

↓ ↓ ↓

6 4 9

答え 649

⑥ 8 2 8

↓ ↓ ↓

1 7 2

答え 172

⑦ 7 1 4 3

↓ ↓ ↓ ↓

2 8 5 7

答え 2857

⑧ 6 5 0 6

↓ ↓ ↓ ↓

3 4 9 4

答え 3494

COLUMN①

「インド」=「日本」×「9」

インドはとにかく大きな国だ。

国土面積は329万平方キロ。日本は37.8万平方キロだから、約9倍の大きさ。人口も11億人と多い。2030年には中国を抜いて世界一になると推測される。日本の人口は1億2千万人余だから、人口も面積も日本のほぼ9倍と言える。

インドは大きいだけでなく、非常に複雑な国でもある。宗教も言語も、日本とは比較にならないくらい多様。国民の約81%がヒンズー教徒だが、そのほかイスラム教徒が12%、キリスト教徒、シーク教徒がそれぞれ2%、さらにはゾロアスター教徒やユダヤ教徒もいる。宗教が違えば、当然、習慣も違う。

また、インドは多言語国家でもある。日本のような、1つの言語で用が足りる国とは違い、地域が異なればインド人どうしでも会話が成り立たないこともあるという。公用語はヒンズー語だが、インド人のすべてが使っているわけではない。ヒンズー語以外では各地方の言葉が日常的に話され、マラーティ語、ベンガル語など、州レベルでの公用語が22もある。また英語も広く普及しており、若い世代では英語を母語とする人も多い。

この「大きさ」と「複雑さ」こそ、インドの魅力と言える。

スキル3

「たし算で考える」から、インド人は頭がいい？

「たし算・ひき算が混じった式」も一気に解く！

突然ですが、皆さんなら、次の計算の答えをどのように求めますか。

86−37＋56−59＋21

前から順番に？　それとも、たし算とひき算を分けて……？　かなりむずかしいと思いませんか？

しかし、「インド式かんたん計算法」を使えばかんたんです。たし算もひき算もまとめて筆算にして、一気に答えが出せるのです（ひく数を$\overline{3}\,\overline{7}$、$\overline{5}\,\overline{9}$のように、数字の上に線をひいて表します）。

まずは、簡単な数を使ってこのユニークな計算方法を説明してみたいと思います（上の式の答えは67）。

65−37　の場合

① ひく数の37を$\overline{3}\,\overline{7}$と数字の上に線をひいてたし算で表します。

$$\begin{array}{r} 65 \\ +\overline{3}\,\overline{7} \\ \hline \end{array} \Rightarrow \begin{array}{r} 65 \\ +\overline{3}\,\overline{7} \\ \hline 3\overline{2} \end{array}$$

❷ 一の位の数を上からたします。

$$5+\overline{7}=\overline{2}$$

（5−7=−2と同じです）

下に$\overline{2}$と書きます。

❸ 十の位も同じように進めていきます。

$$6+\overline{3}=3$$

（6−3=3と同じです）

❹ 答えの3$\overline{2}$の$\overline{2}$は、−2を表しているので**十の位から１くり下げて**計算します。

$$10-2=8$$

このとき**十の位を１小さくする**のを忘れないでください。

$$3-1=2$$

❺ **答えは、28となります。**

ここで注目してほしいのは、**２を８となおす**部分です。**８は、基準を10としたときの２の補数**になっています。他の数字で考えてみても、４なら10−4=6で、やはり４の補数６になおすことになります。

つまり、筆算して求めた答えの数字の上にひいてある線の処理の方法は、次のようになります。

① 線のひいてある数字を、10に対する補数にかえます。

② 線のひいてある数字の左の位の数字を、1小さくします。

例えば、

$5\overline{8}\rightarrow 42$、$8\overline{9}\rightarrow 71$、$4\overline{2}\rightarrow 38$

というようになおしてやればよいのです。

とてもシンプル。でもあっという間に解けるんです。

63−78+34　ならば

$$\begin{array}{r} 63 \\ \overline{7}\,\overline{8} \\ +34 \\ \hline \end{array} \quad \Rightarrow \quad \begin{array}{r} 63 \\ \overline{7}\,\overline{8} \\ +34 \\ \hline 2\overline{1} \end{array}$$

❶ 一の位での数を上からたしていきます。

$3+\overline{8}=\overline{5}$（3−8=−5と同じです）

$\overline{5}+4=\overline{1}$（−5+4=−1と同じです）

❷ 十の位も同じように進めていきます。

$6+\overline{7}=\overline{1}$、$\overline{1}+3=2$

❸ $2\overline{1}$を19になおして、**答えは19**。

ウォーミングアップはできました。では次の問題を解いてみましょう。86−37+56−59+21　です。

$$\begin{array}{r} 86 \\ \overline{37} \\ 56 \\ \overline{59} \\ +21 \\ \hline \end{array} \quad \Rightarrow \quad \begin{array}{r} 86 \\ \overline{37} \\ 56 \\ \overline{59} \\ +21 \\ \hline 7\overline{3} \end{array}$$

❶ 一の位で、上から数をたしていきます。
（下からでもできます）

$$6+\overline{7}=\overline{1}$$

（6−7=−1と同じです）

$$\overline{1}+6=5、5+\overline{9}=\overline{4}、\overline{4}+1=\overline{3}$$

下に$\overline{3}$と書きます。

❷ 十の位も同じように進めていきます。

$$8+\overline{3}=5、5+5=10、10+\overline{5}=5、5+2=7$$

下に7と書きます。

❸ ここで出た、$7\overline{3}$の$\overline{3}$を

$$10-3=7$$

となおして、十の位を１小さくします。
（つまり、**$\overline{3}$を３の10に対する補数７になおし、上の位の７から１をひき**、くり下がりを処理します）

$7\overline{3} \to 67$。これが答えです。

このスキルは横並びの方法でも使うことができます。

4231－3765＋5039－2537＋1625

（ひく数をなおします）

$4231+\overline{3765}+5039+\overline{2537}+1625$

（それぞれの位ごとにまとめて、スペースを線で分けます）

$4+\overline{3}+5+\overline{2}+1 \mid 2+\overline{7}+0+\overline{5}+6 \mid$
$3+\overline{6}+3+\overline{3}+2 \mid 1+\overline{5}+9+\overline{7}+5$

（スペースごとに計算します）

$5 \mid \overline{4} \mid \overline{1} \mid 3$

（一の位から、数字をなおします。$\overline{1}$は補数9になおし、百の位から1をひきます。$\overline{4}-1=\overline{5}$）

$5 \mid \overline{5} \mid 9 \mid 3$

（5を補数5にして、千の位から1をひきます）

答えは、$4 \mid 5 \mid 9 \mid 3 \longrightarrow 4593$

このように、「インド式かんたん計算法」は、どれだけケタ数やたす数、ひく数がふえても、かんたんなままなのです。

頭がよくなる練習問題

答えは次のページにあります。

ここで学んだスキルを使い、①〜③は筆算で、④〜⑥は筆算と横並びの方法で解いてみましょう。

① 93−67+40−34+46=

② 71−59+62−88+97=

③ 485−376+560−689+121=

④ 310−489+621−110+333=

⑤ 3850−2796+1385−4785+7028=

⑥ 618−579+280−388+207=

目からウロコの解答

①

$$
\begin{array}{r}
93 \\
\overline{6}\,\overline{7} \\
40 \\
\overline{3}\,\overline{4} \\
+\,46 \\
\hline
8\overline{2}
\end{array}
$$

$8\overline{2} \rightarrow 78$

答え　78

②

$$
\begin{array}{r}
71 \\
\overline{5}\,\overline{9} \\
62 \\
\overline{8}\,\overline{8} \\
+\,97 \\
\hline
9\overline{7}
\end{array}
$$

$9\overline{7} \rightarrow 83$

答え　83

③

$$
\begin{array}{r}
485 \\
\overline{3}\,\overline{7}\,\overline{6} \\
560 \\
\overline{6}\,\overline{8}\,\overline{9} \\
+\,121 \\
\hline
11\overline{9}
\end{array}
$$

$11\overline{9} \rightarrow 101$

答え　101

④

$$
\begin{array}{r}
310 \\
\overline{4}\,\overline{8}\,\overline{9} \\
621 \\
\overline{1}\,\overline{1}\,\overline{0} \\
+\ 333 \\
\hline
7\,\overline{3}\,\overline{5}
\end{array}
$$

$7\overline{3}\overline{5} \to 7\overline{4}5 \to 665$

$\overline{3}$が$\overline{4}$となるのは、

$\overline{3}-1=\overline{3}+\overline{1}=\overline{4}$なので。

答え　665

$$
\begin{aligned}
&310-489+621-110+333 \\
&=310+\overline{4}\overline{8}\overline{9}+621+\overline{1}\overline{1}\overline{0}+333 \\
&=3+\overline{4}+6+\overline{1}+3 \mid 1+\overline{8}+2+\overline{1}+3 \mid \\
&\quad 0+\overline{9}+1+\overline{0}+3 \\
&=7 \mid \overline{3} \mid \overline{5} \\
&=7 \mid \overline{4} \mid 5 \\
&=665
\end{aligned}
$$

⑤

$$
\begin{array}{r}
3850 \\
\overline{2}\,\overline{7}\,\overline{9}\,\overline{6} \\
1385 \\
\overline{4}\,\overline{7}\,\overline{8}\,\overline{5} \\
+\ 7028 \\
\hline
5\,\overline{3}\,\overline{2}\,2
\end{array}
$$

$5\overline{3}\overline{2}2 \to 5\overline{4}82 \to 4682$

答え　4682

3850−2796+1385−4785+7028

=3850+$\overline{2}\overline{7}\overline{9}\overline{6}$+1385+$\overline{4}\overline{7}\overline{8}\overline{5}$+7028

=3+$\overline{2}$+1+$\overline{4}$+7 | 8+$\overline{7}$+3+$\overline{7}$+0 |

5+$\overline{9}$+8+$\overline{8}$+2 | 0+$\overline{6}$+5+$\overline{5}$+8

=5 | $\overline{3}$ | $\overline{2}$ | 2

=5 | $\overline{4}$ | 8 | 2

=4682

⑥

$$
\begin{array}{r}
618 \\
\overline{5}\overline{7}\overline{9} \\
280 \\
\overline{3}\overline{8}\overline{8} \\
+\ 207 \\
\hline
2\overline{6}\overline{2}
\end{array}
$$

2$\overline{6}\overline{2}$→2$\overline{7}$8→138

答え　138

618−579+280−388+207

=618+$\overline{5}\overline{7}\overline{9}$+280+$\overline{3}\overline{8}\overline{8}$+207

=6+$\overline{5}$+2+$\overline{3}$+2 | 1+$\overline{7}$+8+$\overline{8}$+0 |

8+$\overline{9}$+0+$\overline{8}$+7

=2 | $\overline{6}$ | $\overline{2}$

=2 | $\overline{7}$ | 8

=138

インド式かんたん

かけ算

今日から算数脳になる「18のスキル」

魅力あふれる「インド式かんたん計算法」。
なかでも、かけ算にはマジカル・メソッド
（魔法のような方法）がいっぱい！
驚きと感動をどうぞ！

2章

スキル1

「2ケタ九九がスラスラ解ける」マジカル・メソッド

「11×11」から「19×19」まで、こんなにかんたん！

さて、いよいよマジカル・メソッドの花形、かけ算の登場です。

11から19までの数どうしのかけ算を一瞬で暗算する方法をマスターしましょう。

それでは、具体的な数で暗算の方法を紹介していきます。

14×17　の場合

まず、どちらか一方の数（14とします）**と他方の数の一の位の数字**（ここでは7となります）**をたします。**

14＋7＝21…Ⓐ

次に、元の数の一の位どうしをかけます。

4×7＝28…Ⓑ

ここで、ⒶとⒷを、**位をずらして**、たします。
（Ⓐの一の位とⒷの十の位をかさねます）

日本のやり方で解くより、だん然速く解けますね！

頭の中のイメージ

	21
	＋ 28
答え	238

「にじゅういち、にじゅうはち、にひゃくさんじゅうはち」と頭の中でとなえながら、リズミカルに計算してみてください。

念のために、もう一度練習してみましょう。

16×18　の場合

「にじゅうよん、しじゅうはち、にひゃくはちじゅうはち」

16+8　　6×8　　288

まさにマジカルですね。くり返しイメージすることで、どんどん速く解けるようになります。

頭の中のイメージ

	24
	＋ 48
答え	288

謎解き

11から19までの2つの数を、$10+a$、$10+b$とおいて、かけます。

$$
\begin{aligned}
&(10+a)\times(10+b)\\
&=10\times10+10b+10a+ab\\
&=10\times(10+a+b)+ab
\end{aligned}
$$

分配法則
$(x+y)\times(m+n)$
$=xm+xn+ym+yn$

ここで、$(10+a+b)$は、一方の数$(10+a)$と他方の数の一の位の数 b の和を表し、それに10をかけることによって、左に1ケタくり上がる、言い換えると、右に1マスのスペースを作っています。これが、「ずらし」の理由です。最後の$+ab$は、一の位どうしをかけた値をたすことを表しています。

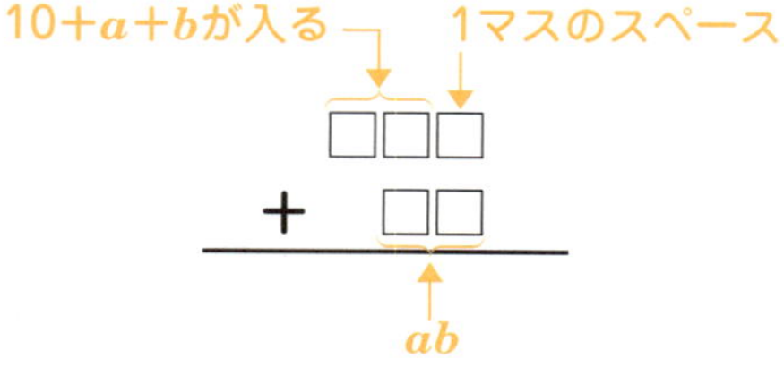

例では、

$$
\begin{aligned}
14\times17&=(10+4)\times(10+7)\\
&=10(10+4+7)+4\times7\\
&=10(14+7)+4\times7\\
&=10\times21+28
\end{aligned}
$$

頭がよくなる練習問題

答えは次のページにあります。

ここで学んだスキルを使い、答えを求めてみましょう。

① 12×13＝

② 13×19＝

③ 14×16＝

④ 15×17＝

⑤ 16×19＝

⑥ 17×13＝

⑦ 18×18＝

⑧ 19×14＝

⑨ 11×11＝

⑩ 17×18＝

目からウロコの解答

① 12×13=156
「じゅうご、ろく、156」

② 13×19=247
「にじゅうに、にじゅうしち、247」

③ 14×16=224
「にじゅう、にじゅうし、224」

④ 15×17=255
「にじゅうに、さんじゅうご、255」

⑤ 16×19=304
「にじゅうご、ごじゅうし、304」

⑥ 17×13=221
「にじゅう、にじゅういち、221」

⑦ 18×18=324
「にじゅうろく、ろくじゅうし、324」

⑧ 19×14=266
「にじゅうさん、さんじゅうろく、266」

⑨ 11×11=121
「じゅうに、いち、121」

⑩ 17×18=306
「にじゅうご、ごじゅうろく、306」

スキル2

なぜこんなことが！「72×78」を一瞬で解く法

かけ算「一の位の数をたすと10になる」場合

72×78を見てください。かけあわせる2つの数には、ある特徴があります。一の位の2と8は、たすと10になり、十の位はともに7と等しくなっていますね。この特徴、つまり、一の位の数の和が10で、十の位の数が等しい2ケタの数のかけ算をする場合、答えは次の方法で簡単に求めることができます。

❶ (十の位の数)×(十の位の数に1をたした数)を計算します。

72×78＝？

ここでは、7×8＝56

頭の中のイメージ

56□□

❷ 次に、一の位の数どうしのかけ算をして、❶の答えの右に並べます。

ここでは、2×8＝16

たし算・ひき算
かけ算
わり算

③ 5616が答えになります。1ケタの九九だけで2ケタかけ算ができるんです。
　もう少し、練習してみましょう。

46×44=？

（十の位の数）×（十の位の数に1をたした数）
　4×5=20

一の位の数どうしをかけます。
　6×4=24

答えは、2024です。

$61 \times 69 = ?$

（十の位の数）×（十の位の数に１をたした数）

$6 \times 7 = 42$

一の位の数どうしをかけます。

$1 \times 9 = 9$

答えは、4209です。09となるのは、２マス分のスペースがあるからと、考えてください。

「インド式かんたん計算法」がなぜこんなにかんたんなのでしょう？

謎解き

一の位の数の和が10で、十の位の数が等しい２つの数は、$10a+b$と、$10a+c$と表せます。また、一の位の数の和が10なので、$b+c=10$です。

２つの数をかけます。

$$
\begin{aligned}
&(10a+b)\times(10a+c)\\
&=100a^2+10ac+10ab+bc && \text{分配法則を使います。}\\
&=100a^2+10a(b+c)+bc && \text{10}a\text{でまとめます。}\\
&=100a^2+10a\times10+bc && b+c=10\text{とします。}\\
&=100a^2+100a+bc && \\
&=100\underbrace{a(a+1)}_{①}+\underbrace{bc}_{②} && \text{100}a\text{でまとめます。}
\end{aligned}
$$

①は、（十の位の数）×（十の位の数＋1）を表し、100をかけることで位が2つ上がります。それに、②（一の位の数どうしをかけたもの）をたせばできあがり。

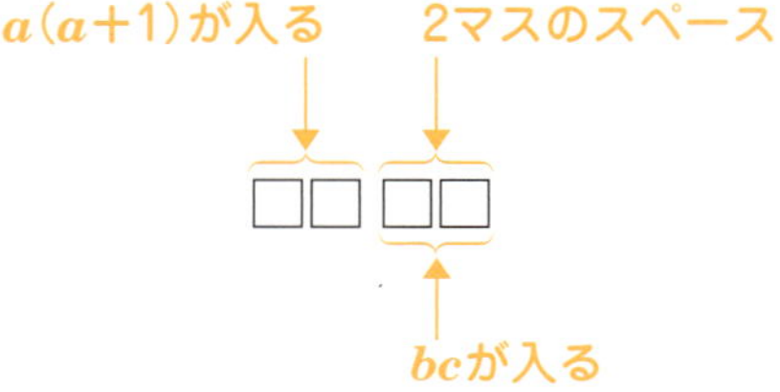

例では、

$$
\begin{aligned}
72\times78&=(10\times7+2)\times(10\times7+8)\\
&=\underbrace{100\times7\times(7+1)}_{①}+\underbrace{2\times8}_{②}
\end{aligned}
$$

慣れてくると、一瞬で答えが頭に浮かんでくるようになります。では、練習してみましょう。

頭がよくなる練習問題

答えは次のページにあります。

ここで学んだスキルを使い、答えを求めてみましょう。

① 83×87＝

② 24×26＝

③ 18×12＝

④ 41×49＝

⑤ 95×95＝

⑥ 77×73＝

⑦ 62×68＝

⑧ 56×54＝

⑨ 17×13＝

⑩ 39×31＝

目からウロコの解答

① $83 \times 87 \rightarrow 8 \times 9 \mid 3 \times 7 \rightarrow 7221$

② $24 \times 26 \rightarrow 2 \times 3 \mid 4 \times 6 \rightarrow 624$

③ $18 \times 12 \rightarrow 1 \times 2 \mid 8 \times 2 \rightarrow 216$

④ $41 \times 49 \rightarrow 4 \times 5 \mid 1 \times 9 \rightarrow 2009$

⑤ $95 \times 95 \rightarrow 9 \times 10 \mid 5 \times 5 \rightarrow 9025$

⑥ $77 \times 73 \rightarrow 7 \times 8 \mid 7 \times 3 \rightarrow 5621$

⑦ $62 \times 68 \rightarrow 6 \times 7 \mid 2 \times 8 \rightarrow 4216$

⑧ $56 \times 54 \rightarrow 5 \times 6 \mid 6 \times 4 \rightarrow 3024$

⑨ $17 \times 13 \rightarrow 1 \times 2 \mid 7 \times 3 \rightarrow 221$

⑩ $39 \times 31 \rightarrow 3 \times 4 \mid 9 \times 1 \rightarrow 1209$

＊178×172のような、３ケタ以上の数も、のちほど登場しますので、お楽しみに。

スキル3

「29×89」——答えはこの中に隠されている!?

かけ算「十の位の数をたすと10になる」場合

スキル２と逆のパターンの数のかけ算にも絶妙な解き方があります。たとえば、29×89は、十の位の２と8をたすと10になり、一の位はともに９と等しくなっています。このように、十の位の数の和が10で、一の位の数が等しい２ケタの数のかけ算をする場合、答えは次の方法でかんたんに求めることができます。

❶ （十の位の数）×（十の位の数）＋（一の位の数）を計算します。

29×89＝？

ここでは、2×8＋9＝25

頭の中のイメージ

25□□

❷ 次に、一の位の数どうしのかけ算をして、❶の答えの右に並べます。

ここでは、9×9＝81

頭の中のイメージ

2581

❸ 2581が答えになります。
わかりましたか。もう一度やってみましょう。

47×67＝？

（十の位の数）×（十の位の数）＋（一の位の数）

4×6＋7＝31

頭の中のイメージ

31□□

一の位の数どうしをかけます。

7×7＝49

頭の中のイメージ

3149

答えは、3149です。

58×58＝？

（十の位の数）×（十の位の数）＋（一の位の数）

5×5＋8＝33

頭の中のイメージ

33□□

一の位の数どうしをかけます。

8×8＝64

頭の中のイメージ

3364

答えは、3364です。

謎解き

十の位の数の和が10で、一の位の数が等しい２つの数は、$10a+c$と、$10b+c$と表せます。また、十の位の数の和が10なので、$a+b=10$です。

２つの数をかけます。

$$
\begin{aligned}
&(10a+c)\times(10b+c)\\
&=100ab+10ac+10bc+c^2 && \text{分配法則を使います。}\\
&=100ab+10c(a+b)+c^2 && \text{10}c\text{でまとめます。}\\
&=100ab+10c\times10+c^2 && a+b=10\text{とします。}\\
&=100\underbrace{(ab+c)}_{①}+\underbrace{c^2}_{②} && \text{100でまとめます。}
\end{aligned}
$$

①は、(十の位の数)×(十の位の数)+(一の位の数)を表し、100をかけることで、位が２つ上がります。それに、②(一の位の数どうしをかけたもの)をたせば、できあがりです。

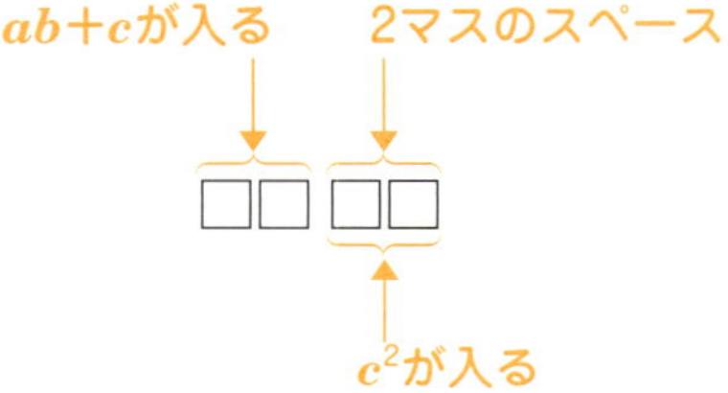

例では、

$$
\begin{aligned}
29\times89&=(10\times2+9)\times(10\times8+9)\\
&=100\times\underbrace{(2\times8+9)}_{①}+\underbrace{9\times9}_{②}
\end{aligned}
$$

スキル２と使い分けられるように、練習してみましょう。

頭がよくなる練習問題

答えは次のページにあります。

ここで学んだスキルを使い、答えを求めてみましょう。

① 36×76＝

② 14×94＝

③ 83×23＝

④ 65×45＝

⑤ 72×32＝

⑥ 59×59＝

⑦ 27×87＝

⑧ 41×61＝

⑨ 98×18＝

⑩ 34×74＝

目からウロコの解答

① $36 \times 76 \rightarrow 3 \times 7 + 6 \mid 6 \times 6 \rightarrow 2736$

② $14 \times 94 \rightarrow 1 \times 9 + 4 \mid 4 \times 4 \rightarrow 1316$

③ $83 \times 23 \rightarrow 8 \times 2 + 3 \mid 3 \times 3 \rightarrow 1909$

④ $65 \times 45 \rightarrow 6 \times 4 + 5 \mid 5 \times 5 \rightarrow 2925$

⑤ $72 \times 32 \rightarrow 7 \times 3 + 2 \mid 2 \times 2 \rightarrow 2304$

⑥ $59 \times 59 \rightarrow 5 \times 5 + 9 \mid 9 \times 9 \rightarrow 3481$

⑦ $27 \times 87 \rightarrow 2 \times 8 + 7 \mid 7 \times 7 \rightarrow 2349$

⑧ $41 \times 61 \rightarrow 4 \times 6 + 1 \mid 1 \times 1 \rightarrow 2501$

⑨ $98 \times 18 \rightarrow 9 \times 1 + 8 \mid 8 \times 8 \rightarrow 1764$

⑩ $34 \times 74 \rightarrow 3 \times 7 + 4 \mid 4 \times 4 \rightarrow 2516$

＊スキル２と間違えやすいので、もう一度確認しておきましょう。

スキル4

9の不思議──「999×683」はひき算で解く！

「9が続く」と必ず奇跡が起きる！

9が連続する数に、その数よりも小さい数をかける場合、答えは次の方法で求めることができます。

❶ 99×48で説明しましょう。まず、**小さい数から1をひき**ます。そして、99は2ケタの数なので、それに合わせて、**右に2ケタ分のマス**をあけます。

99×48では、48－1＝47

頭の中のイメージ

47□□
よんなな□□

❷ 次に、❶で求めた数を、9が連続する数からひいて、❶の右に並べます。

ここでは、99－47＝52

頭の中のイメージ

4752

＊4、7の9に対する補数をとなりに書くだけだと気づきましたか。

❸ 4752が答えになります。

簡単ですね。では、もう1回。

999×683＝？

（小さい数－1）を計算します。そして、999は3ケタなので、右に3マスあけます。

683－1＝682

頭の中のイメージ

682□□□
ろくはちにー□□□

999－（今求めた数）

999－682＝317

頭の中のイメージ

682317

答えは、682317です。
では次です。4ケタになっても考え方は同じですよ。

8428×9999＝？

（小さい数－1）を計算します。そして、9999は4ケタなので、右に4マスあけます。

8428－1＝8427

頭の中のイメージ

8427□□□□
はちよんにーなな□□□□

9999－（今求めた数）

9999－8427＝1572

頭の中のイメージ

84271572

答えは、84271572です。

謎解き

9が連続する数を999、小さい数をaとして、2つの数をかけます。

$$999 \times a$$

999を1000−1と直します。

$$=(1000-1)\times a$$

分配法則を使います。

$$=1000a-a$$

−1000＋1000を付け加えます。

$$=1000a-1000+1000-a$$

$$=1000\underbrace{(a-1)}_{①}+\underbrace{999-(a-1)}_{②}$$

①は、（小さい数−1）を表し、1000をかけることで位が3つ上がります（右に3マスあけることになります）。それに、②の（999から①をひいた数）をたせばできあがりです。

$$999 \times 683$$
$$=1000(683-1)+999-(683-1)$$
$$=682317$$

それでは、みなさんもやってみてください。

頭がよくなる練習問題

答えは次のページにあります。

ここで学んだスキルを使い、答えを求めてみましょう。

① $99 \times 26 =$

② $79 \times 99 =$

③ $99 \times 98 =$

④ $251 \times 999 =$

⑤ $999 \times 723 =$

⑥ $681 \times 999 =$

⑦ $1392 \times 9999 =$

⑧ $9999 \times 9996 =$

⑨ $9999 \times 268 =$

⑩ $99 \times 9999 =$

目からウロコの解答

① 99×26 → 26−1 | 99−(26−1)
→ 2574

② 79×99 → 79−1 | 99−(79−1)
→ 7821

③ 99×98 → 98−1 | 99−(98−1)
→ 9702

④ 251×999 → 251−1 | 999−(251−1)
→ 250749

⑤ 999×723 → 723−1 | 999−(723−1)
→ 722277

⑥ 681×999 → 681−1 | 999−(681−1)
→ 680319

⑦ 1392×9999 → 1392−1 | 9999−(1392−1)
→ 13918608

⑧ 9999×9996 → 9996−1 | 9999−(9996−1)
→ 99950004

⑨ 9999×268 → 268−1 | 9999−(268−1)
→ 2679732

⑩ 99×9999 → 99−1 | 9999−(99−1)
→ 989901

スキル5

11の不思議――たとえば「34×11」は3秒で解ける!?

「11のかけ算」はなぜ、こんなにかんたん？

ある数字に11をかける計算に使える、おもしろい方法があります。34×11を例にして、説明していきます。

❶ 11にかける数である34を左右に引っ張り、間にスペースをつくります。スペースのマスは、11にかける数のケタ数より1小さい個数だけあけます。ここでは、34が2ケタなので、スペースは

2－1＝1(個)

頭の中のイメージ

3□4
さん□よん

❷ 次に、3と4をたします。

3＋4＝7

たした答えの7を、スペースに入れます。

頭の中のイメージ

374

❸ 答えは、374です。

これなら、暗算で答えることができそうです。では、86×11はどうなるでしょう。

❶ 86を左右に引っ張り、間にスペースを作ります。

頭の中のイメージ

8□6
はち□ろく

❷ 次に、8と6をたします。

8+6=14

たした答えが2ケタになってしまいました。そういう場合は次のように、くり上げが必要になります。

頭の中のイメージ

$$
\begin{array}{r}
846 \\
+\,1 \\
\hline
946
\end{array}
$$

❸ くり上げた1を8にたして、答えは、946です。

11にかける数のケタ数が大きくなった場合も、同じように求めることができます。

8649×11について、考えてみましょう。

❶ 8649を左右に引っ張り、スペースを作ります。**4ケタの数なのでスペースは3個**（左端の数字8と右端の数字9だけを書きます）。

❷ 左から2つずつ数字をたして、くり上がりに注意しながら、スペースに書いていきます。

8＋6＝14

❸ 次の2つの数字をたして、

6＋4＝10、4＋9＝13

頭の中のイメージ

```
84039
111
-----
95139
```

❹ くり上がりをたして、答えは、95139です。

謎解き

この方法の仕組みはいたって簡単。

8649×11ならば、

$$8649\times11=8649\times(10+1)$$
$$=86490+8649$$

```
        86490
       +8649
8+6    -----     4+9
=14    84039     =13
       111
       -----
       95139
```

となります。

頭がよくなる練習問題

答えは次のページにあります。

ここで学んだスキルを使い、答えを求めてみましょう。

① 52×11＝

② 11×27＝

③ 49×11＝

④ 68×11＝

⑤ 248×11＝

⑥ 6579×11＝

目からウロコの解答

① 52×11 → 5 | 5+2 | 2 → 572

② 11×27 → 2 | 2+7 | 7 → 297

③ 49×11 → 4 | 4+9 | 9 → 4 | 13 | 9 → 539

④ 68×11 → 6 | 6+8 | 8 → 6 | 14 | 8 → 748

⑤ 248×11 → 2 | 2+4 | 4+8 | 8
→ 2 | 6 | 12 | 8
→ 2728

$$\begin{array}{ccccc} & 2 & 6 & 2 & 8 \\ + & & 1 & & \\ \hline & 2 & 7 & 2 & 8 \end{array}$$

⑥ 6579×11 → 6 | 11 | 12 | 16 | 9
→ 72369

$$\begin{array}{cccccc} & 6 & 1 & 2 & 6 & 9 \\ + & 1 & 1 & 1 & & \\ \hline & 7 & 2 & 3 & 6 & 9 \end{array}$$

ほらね、楽しいでしょう？

スキル6

「100より大きいか・小さいか」——ヒントはここにある!

「100を基準」として計算する法

ここでは、基準を利用してかけ算する方法をパターン別に紹介していきます。

＜パターン1＞
（100に近い数）×（100に近い数）

93×91 の場合

❶ 93と91をたてに並べて書き、右側に100との差をそれぞれ書きます。

```
93  －7
91  －9
――――――――
```

❷ 右に書いた数字の下に、２ケタ分のマスをとります。
（100がベースの時は00に合わせて２マス）

93	−7
91	−9
	□□

③ 右に書いた数字を上下にかけ算して、答えを下のマスに入れます。

$-7\times(-9)=63$

93	−7
91	−9
	63

④ 左と右の数字を斜めにたします（右下がりでも、右上がりでもかまいません。どちらも同じ値になりますので）。それを、下に書きます。

$93+(-9)=84$

93	−7
91	−9
84	63

⑤ 答えは、8463です。

＊2つの数字が100より大きいときも、同じように計算できます。

102×104　の場合

102	＋2
104	＋4
106	08

↑ 斜めにたした値

→ 2ケタ分のマス

102＋4＝106

答え　10608

＜パターン2＞
（100に近い数）×（そうではない数）

98×25　の場合

❶、❷は＜パターン1＞と同じです。

❸ 右の数字を上下にかけると、
－2×（－75）＝150
となり、2ケタ分のマスに入りません。
そこで、1をくり上げて計算します。

98　　−2
25　−75
―――――――
23　　50
25−2=23 → 1 ← くり上がり
―――――――
24　　50

答え　2450

＜パターン3＞
(100より大きい数)×(100より小さい数)

103×96　の場合

❶、❷は＜パターン1＞と同じです。

103　+3
　96　−4
―――――――
　　　□□

❸ 右の数字を上下にかけると、−12なので、**マイナスの印を数字の上に付けて**から書きます。

103　+3
　96　−4
―――――――
　99　$\overline{12}$

96+3=99

❹ $\overline{12}$は12をひくことを意味しているので、100−12=88となおします。つまり12の100(基準)に対する補数(覚えていますか。補数とは、たして基準になる数のことです)になおします。このとき、上の位から1くり下げることを忘れないようにしましょう。

103	＋3
96	−4
98	88

くり下がり 99−1=98

12の補数 88

答え 9888

＊マイナスの印がつくと、「補数」が登場！

謎解き

100より小さい2つの数を、$100-a$、$100-b$とおいて、かけます。

$$
\begin{aligned}
&(100-a)\times(100-b)\\
&=100\times100-100b-100a+ab\\
&=100\times\underline{(100-a-b)}+ab
\end{aligned}
$$

分配法則

100でまとめます。

ここで、$(100-a-b)$ の部分について、$100-a$ は、一方の数を表しているので、$(100-a-b)$ は、ちょうど、方法で紹介した「左と右の数字を斜めにたす」ことを表し、それに100をかけることによって、左に2ケタくり上がります。言いかえると、右に2ケタ分のマスをつくっています。最後の$+ab$が、100との差どうしの積をたすことを表しています。

93×91では、

$$
\begin{aligned}
93\times91&=(100-7)\times(100-9)\\
&=100\times(100-7-9)+7\times9\\
&=100\times(93-9)+7\times9\\
&=100\times\underbrace{84}_{①}+\underbrace{63}_{②}
\end{aligned}
$$

①と②が、スキル6の解法で使われているのですね。

$$
\begin{array}{cc}
93 & -7\\
91 & -9\\
\hline
\underbrace{84}_{①} & \underbrace{63}_{②}
\end{array}
$$

それでは、練習です。

頭がよくなる練習問題

答えは次のページにあります。

ここで学んだスキルを使い、答えを求めてみましょう。

① $98 \times 97 =$

② $101 \times 109 =$

③ $96 \times 85 =$

④ $185 \times 102 =$

⑤ $45 \times 98 =$

⑥ $92 \times 105 =$

⑦ $104 \times 95 =$

⑧ $88 \times 88 =$

⑨ $17 \times 99 =$

⑩ $97 \times 103 =$

目からウロコの解答

①

98	−2
97	−3
95	06

答え　9506

②

101	+1
109	+9
110	09

答え　11009

③

96	−4
85	−15
81	60

答え　8160

④

85×2=170

185	+85
102	+2
187	70
1	← くり上がり
188	70

答え　18870

⑤

(−55)×(−2)=110

45	−55
98	−2
43	10
1	← くり上がり
44	10

答え　4410

⑥

92	−8	
105	+5	
97	40	
96	60	← 40の補数は60

答え　9660

⑦

104	+4	
95	−5	
99	20	
98	80	← 20の補数は80

答え　9880

⑧

88	−12	(−12)×(−12)=144
88	−12	
76	44	
1		← くり上がり
77	44	

答え　7744

⑨

17	−83
99	−1
16	83

答え　1683

⑩

97	−3	
103	+3	
100	09	
99	91	← 09の補数は91

答え　9991

スキル7

「1120×996」——実践！数字感覚を磨く法

「1000を基準」として計算する法

今度は、1000を基準として、計算してみます。

＜パターン1＞
（1000に近い数）×（1000に近い数）

997×994　の場合

❶　997と994をたてに並べて書き、右側に1000との差をそれぞれ書きます。

997	−3
994	−6

❷　右に書いた数字の下に、3ケタ分のマスをとります。
（1000がベースのときは000に合わせて3マス）

997	−3
994	−6
	□□□

3 右の数字を上下にかけて、答えをマスに入れます。

$-3\times(-6)=18$

997	−3
994	−6
	018

4 左と右の数字を斜めにたして、その値を下に書きます(右下がりでも右上がりでもかまいません)。

$997+(-6)=991$

997	−3
994	−6
991	018

5 答えは、991018になります。

<パターン2>
(1000に近い数)×(そうではない数)

998×289　の場合

❶、❷は＜パターン1＞と同じです。

998	−2
289	−711
	□□□

❸　右の数字をかけ算すると、
−2×(−711)＝1422となり、3ケタ分のマスには入りません。そこで、1をくり上げて計算することになります。斜めにたした数字(289−2＝287)も書き入れると、

998	−2
289	−711
287	422
1 ← くり上がり	
288	422

❹　答えは、288422です。

＜パターン3＞
(1000より大きい数)×(1000より小さい数)

1120×996　の場合

❶、❷は＜パターン1＞と同じです。

1120	＋120
996	－4
	□□□

❸ 右の数字を上下にかけると、
120×(－4)＝－480なので、いつものように、マイナスの印を付けておきます。斜めにたした数字は、
1120－4＝1116　なので、

1120	＋120
996	－4
1116	$\overline{480}$

「－」があるから「補数」の登場！

となります。

❹ $\overline{480}$は1000(基準)に対する補数になおして、上の位から1をくり下げてやると、
答えは、1115520となります。

1120	＋120
996	－4
1116	$\overline{480}$
1115	520

❺ 答えは、1115520です。

謎解き

スキル6と同じように説明することができます。1000より小さい2つの数を、$1000-a$、$1000-b$とおいて、かけます。

$$
\begin{aligned}
&(1000-a)\times(1000-b)\\
&=1000\times1000-1000b-1000a+ab\\
&=1000\times\underline{(1000-a-b)}+ab
\end{aligned}
$$

分配法則

1000でまとめます。

ここで、$\underline{(1000-a-b)}$の部分について、$1000-a$は、一方の数を表しているので、$\underline{(1000-a-b)}$は「左と右の数字を斜めにたす」ことを表し、それに1000をかけることによって、左に3ケタくり上がる、つまり右に3マスのスペースをつくっています。

もう言うまでもありませんが、最後の$+ab$が1000との差どうしの積をたすことを表しています。

さて、それでは3ケタの数のかけ算を楽しみながら解いてみてください。

頭がよくなる練習問題

答えは次のページにあります。

ここで学んだスキルを使い、答えを求めてみましょう。

① 985×996＝

② 1150×1004＝

③ 1017×1013＝

④ 365×995＝

⑤ 1465×1006＝

⑥ 1048×958＝

⑦ 1014×986＝

⑧ 1026×998＝

目からウロコの解答

①
985	−15
996	−4
981	060

← 60と間違えないように！

答え 981060

②
1150	+150
1004	+4
1154	600

答え 1154600

③
1017	+17
1013	+13
1030	221

答え 1030221

④
365	−635
995	−5
360	175
3	
363	175

−635×(−5)=3175

3 ← くり上がり

答え 363175

⑤
1465	+465
1006	+6
1471	790
2	
1473	790

465×6=2790

2 ← くり上がり

答え 1473790

⑥

1048	＋48
958	−42
1006	$\overline{016}$
$\overline{2}$	
1004	$\overline{016}$
1003	984

48×42はスキル2を使って4×5｜8×2より2016です。

6＋$\overline{2}$＝6−2＝4

$\overline{016}$は
1000−16＝984

答え　1003984

⑦

1014	＋14
986	−14
1000	$\overline{196}$
999	804

$\overline{196}$は
1000−196＝804

答え　999804

⑧

1026	＋26
998	−2
1024	$\overline{052}$
1023	948

$\overline{052}$は
1000−52＝948

答え　1023948

以上で、キリのよい数を基準とするかけ算は終了です。次のスキルでは、応用として、その他の数を基準としたかけ算をかんたんに紹介していきます。

スキル8

「50」「30」「60」――この数字に注意!

斜めにたすという「すごいテクニック」

50、30、60などを基準にするときは、基準を10にして計算する方法がオススメです。

48×46　の場合

❶ 48と46をたてに並べて書き、右側に50(基準)との差をそれぞれ書きます。

48　−2
46　−4
――――――

❷ 右に書いた数字の下に、1ケタ分のマスをとります(10を基準にして計算する方法を利用するので)。

48　−2
46　−4
――――――
　　　□

❸　右に書いた数字を**上下にかけ算**して、答えを下のマスに入れます。

$-2\times(-4)=8$

48	−2
46	−4
	8

❹　左と右の数字を**斜めにたします**（右下がりでも、右上がりでもかまいません。どちらも同じ値になりますので）。**その値を５倍します（基準が30のときは３倍、60のときは６倍します）。**そして、下に書きます。

$48+(-4)=44$　$44\times5=220$

48	−2
46	−4
220	8

❺　答えは、**2208**になります。

謎解き

50を基準にする解法のしくみを説明します。

50より小さい2つの数を、$50-a$、$50-b$とおいて、かけます。

$$(50-a)\times(50-b)$$

$$=50\times50-50b-50a+ab$$

← 分配法則を使います。

$$=50\times\underline{(50-a-b)}+ab$$

← 50でまとめます。

$$=10\times5\times\underline{(50-a-b)}+ab$$

← 50を、10×5となおします。

ここで、$\underline{(50-a-b)}$の部分について、**$50-a$は、一方の数を表して**いるので、$\underline{(50-a-b)}$ はこれまでと同じく、**「左と右の数字を斜めにたす」**ことを表し、それを5倍していることが式からわかります。

さらに10をかけることによって、左に1ケタくり上がって（右に1マスのスペースをつくって）、最後の$+ab$（50との差どうしの積）がそのスペースに入ることになります。

基準が30、60の場合も、同じように説明ができるのです。

頭がよくなる練習問題

答えは次のページにあります。

基準は、計算がしやすいように選んで、答えを求めてみましょう。

① 43×49＝

② 34×32＝

③ 68×65＝

④ 71×76＝

⑤ 57×54＝

⑥ 47×41＝

⑦ 39×36＝

⑧ 62×64＝

⑨ 78×75＝

⑩ 53×56＝

目からウロコの解答

①

43	−7
49	−1
210	7

〔基準50〕

(43−1)×5=210

答え 2107

②

34	+4
32	+2
108	8

〔基準30〕

(34+2)×3=108

答え 1088

③

68	+8
65	+5
438	0
4	← くり上がり
442	0

〔基準60〕

(68+5)×6=438

答え 4420

④

71	+1
76	+6
539	6

〔基準70〕

(71+6)×7=539

答え 5396

⑤

57	+7
54	+4
305	8
2	← くり上がり
307	8

〔基準50〕

(57+4)×5=305

答え 3078

⑥

47	＋7
41	＋1
192	7

〔基準40〕
(47＋1)×4＝192
答え　1927

⑦

39	－1
36	－4
140	4

〔基準40〕
(39－4)×4＝140
答え　1404

⑧

62	＋2
64	＋4
396	8

〔基準60〕
(62＋4)×6＝396
答え　3968

⑨

78	＋8
75	＋5
581	0
4	
585	0

〔基準70〕
(78＋5)×7＝581
くり上がり（← 4）
答え　5850

⑩

53	＋3
56	＋6
295	8
1	
296	8

〔基準50〕
(53＋6)×5＝295
くり上がり（← 1）
答え　2968

＊いかがですか。かんたんですね。次も基準が50や60になるときにつかえる、おもしろいスキルです。お楽しみに。

スキル9

これが算数脳の原点！インド式「すごい筆算」

「2ケタ×2ケタ」のインド式たすきがけ

これから紹介する方法は、**どんな2ケタの数どうしのかけ算にも使える**ものです。

日本の学校で学ぶものとは異なり、「インド式かんたん計算法」で解くと、まるで数字遊びのようですよ！

78×63　の場合

❶　2段に数字を書いて、**線の下に3つのスペース**をつくります。

　　78
×63
――――――
左　中　右

❷　十の位の数どうしをかけて、答えを**左のスペース**に入れます。

7×6=42

```
   78
 × 63
 42 |    |
 左   中   右
```

❸ ななめにかけた数（たすきがけした数）どうしを、たして中のスペースに入れて、

7×3＋8×6＝21＋48＝69

```
   78
 × 63
 42 | 69 |
 左   中   右
```

頭の中のイメージ

21＋48＝69

と、したいところなのですが、中と右のスペースには1ケタ分の数字しか入れることはできないので、左へくり上げが起こり、こうなります。

```
   78
 × 63
 42 | 9 |
    6
```

④ 一の位の数どうしをかけて、同じようにくり上げを考えて、答えを右のスペースに入れます。

8×3=24

	7	8
×	6	3
42	9	4
6	2	

⑤ あとは、くり上がりに注意して、右から上下にたしていきます。

	7	8
×	6	3
42	9	4
6	2	
49	1	4

答え　4914

＊たすきがけ部分の計算（上の例では7×3+8×6=21+48）は、頭にイメージしつつ、同時に紙に書いてから書き入れることを、オススメします。

それでは、インド式たすきがけの練習、スタートです！

頭がよくなる練習問題

答えは次のページにあります。

インド式たすきがけを使って、答えを求めてみましょう。

① 24×67＝

② 45×38＝

③ 71×56＝

④ 83×91＝

⑤ 29×53＝

⑥ 42×84＝

⑦ 77×39＝

⑧ 65×96＝

⑨ 18×21＝

目からウロコの解答

①

	2 4	
	×6 7	
1 2	8	8
3	2	
1 6	0	8

2×7＋4×6
＝14＋24
＝38

答え　1608

②

	4 5	
	×3 8	
1 2	7	0
4	4	
1 7	1	0

4×8＋5×3
＝32＋15
＝47

答え　1710

③

	7 1	
	×5 6	
3 5	7	6
4		
3 9	7	6

7×6＋1×5
＝42＋5
＝47

答え　3976

④
83
×91
72 | 5 | 3
3
75 5 3

$8\times1+3\times9$
$=8+27$
$=35$

答え　7553

⑤
29
×53
10 | 1 | 7
5 2
15 3 7

$2\times3+9\times5$
$=6+45$
$=51$

答え　1537

⑥
42
×84
32 | 2 | 8
3
35 2 8

$4\times4+2\times8$
$=16+16$
$=32$

答え　3528

⑦

77
×39

21	4	3
8	6	
30	0	3

7×9+7×3
=63+21
=84

答え 3003

⑧

65
×96

54	1	0
8	3	
62	4	0

6×6+5×9
=36+45
=81

答え 6240

⑨

18
×21

2	7	8
1		
3	7	8

1×1+8×2
=1+16
=17

答え 378

スキル10

インド式筆算は「ケタが大きいほどおもしろい！」

「3ケタ×3ケタ」のインド式たすきがけ

スキル9に続いて、3ケタの数どうしのかけ算を、インド式たすきがけを使って、計算してみましょう。

「インド式かんたん計算法」の楽しさをたっぷり味わって下さい！

264×687　の場合

❶　2段に数字を書いて、線の下に**5つのスペース**を作ります。左に2×6＝12より、12を入れます。

```
   264
 × 687
```

12				
左	中左	中	中右	右

❷　中左には2×8＋6×6＝52より、52を入れます。5は**左のスペースへくり上がり**ます。

264
×687

12	2			
5				
左	中左	中	中右	右

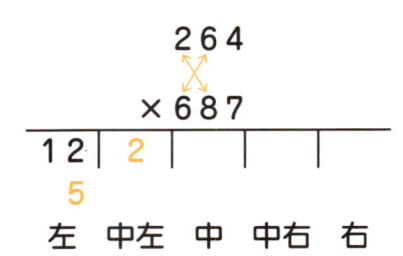

❸ 中に$2\times7+4\times6+6\times8=86$より、86を入れます。

264
×687

12	2	6		
5	8			
左	中左	中	中右	右

❹ 中右に$6\times7+4\times8=74$より、74を入れます。

264
×687

12	2	6	4	
5	8	7		
左	中左	中	中右	右

5 右に4×7=28より、28を入れます。

　264
×687

12	2	6	4	8
5	8	7	2	
左	中左	中	中右	右

6 右から、くり上がりに注意して、上下にたしていきます。

　264
×687

12	2	6	4	8
5	8	7	2	
18	1	3	6	8

答えは、181368です。

ケタ数が増えても、1ケタのかけ算をくり返せば、たちまち答えが出ますね！

今度は、くり上がりが2つのスペースにまたがる場合を見ておきましょう。

748×396 の場合

　左：7×3=21
中左：7×9+4×3=75
　中：7×6+8×3+4×9=102
中右：4×6+8×9=96
　右：8×6=48　をそれぞれ入れて上下にたします。

＊中の102のくり上がりに注意してください。

748
×396

21	5	2	6	8
7	0	9	4	
1				
29	6	2	0	8

答えは、296208です。たすきがけのパターンが身に付くと、計算がどんどん速くできるようになります。はじめはゆっくりでかまいませんので、練習してみてください。

頭がよくなる練習問題

答えは次のページにあります。

インド式たすきがけを使って、答えを求めてみましょう。

① 157×869＝

② 322×551＝

③ 413×935＝

④ 872×639＝

⑤ 254×905＝

⑥ 517×423＝

目からウロコの解答

①

$$\begin{array}{r} 157 \\ \times 869 \end{array}$$

8	6	5	7	3
4	9	8	6	
13	6	4	3	3

答え 136433

②

$$\begin{array}{r} 322 \\ \times 551 \end{array}$$

15	5	3	2	2
2	2	1		
17	7	4	2	2

答え 177422

③

$$\begin{array}{r} 413 \\ \times 935 \end{array}$$

36	1	0	4	5
2	5	1	1	
38	6	1	5	5

答え 386155

④

872
×639

48	6	5	9	8
6	0	6	1	
1				
55	7	2	0	8

答え　557208

⑤

254
×905

18	5	6	5	0
4	4	2	2	
22	9	8	7	0

答え　229870

⑥

517
×423

20	4	5	7	1
1	4	1	2	
21	8	6	9	1

答え　218691

スキル11

すごい2乗算──「75^2」「135^2」もすぐわかる！

「一の位が5の数」には、こんなトリックがあった！

ここでは、一の位が５である数の２乗を一瞬で求めてしまう方法を紹介します。日本式で考えると大人もお手上げですが、インド式なら小学生でも解けますよ。

75^2 の場合

❶ （十の位の数）×（十の位の数に１をたした数）を計算します。

$$7\times8=56$$

❷ 一の位の数の２乗、つまり5×5＝25を、❶で求めた数字の右に並べます。

5625

❸ 答えは、5625です。

この方法は、一の位の数が５であれば、何ケタの数の２乗にも使えます。たとえば、

135^2 の場合

❶ 5の左にある数は13なので、13×14＝182

＊13×14は、スキル1の暗算で求めてみましょう。

```
  17
   12
 ----
 182
```

❷ 5^2＝25より25を右に並べて、
答えは、18225

9995^2 の場合

5の左にある数は999なので、

❶ 999×1000＝999000

❷ 5^2＝25より、25を右に並べて、
答えは、99900025

100005^2 の場合

5の左にある数は10000なので、

❶ 10000×10001＝100010000

❷ 5^2＝25より、25を右に並べて、
答えは、10001000025

謎解き

一の位が５である２ケタの数は、十の位の数をaとして、$10a+5$と表すことができます。

$$
\begin{aligned}
&(10a+5)^2\\
&=(10a+5)\times(10a+5)\\
&=100a^2+50a+50a+25\\
&=100a^2+100a+25\\
&=100\times(a^2+a)+25\\
&=100\times\underline{a\times(a+1)}+25
\end{aligned}
$$

分配法則を使います。

100でまとめます。

カッコの中をaでまとめます。

ここで、$\underline{a\times(a+1)}$は（十の位の数）×（十の位の数に１をたした数）を表し、それを100倍することによって、左に２ケタくり上がって（右に２マスのスペースを作って）、最後の＋25がそのスペースに入ることになります。

むずかしく思える計算が、あっという間に解ける。まさに「インド式かんたん計算法」ですね。

では、みなさんも一瞬で答えを求める快感を味わってみてください。

頭がよくなる練習問題

答えは次のページにあります。

スキル11を使って、答えを求めてみましょう。

① 25^2

② 85^2

③ 35^2

④ 105^2

⑤ 155^2

⑥ 185^2

⑦ 195^2

⑧ 995^2

⑨ 1995^2

⑩ 20005^2

目からウロコの解答

① $25^2=2\times3 \mid 5\times5=625$

② $85^2=8\times9 \mid 5\times5=7225$

③ $35^2=3\times4 \mid 5\times5=1225$

④ $105^2=10\times11 \mid 5\times5=11025$

⑤ $155^2=15\times16 \mid 5\times5=24025$

⑥ $185^2=18\times19 \mid 5\times5=34225$

⑦ $195^2=19\times20 \mid 5\times5=38025$

⑧ $995^2=99\times100 \mid 5\times5=990025$

⑨ $1995^2=199\times200 \mid 5\times5=3980025$

⑩ $20005^2=2000\times2001 \mid 5\times5$
$=400200025$

スキル12

インドの天才が発見した「かけ算の大神秘」とは?

最高の公式「$A^2-B^2=(A+B)\times(A-B)$」で遊ぶ!

一の位が5で終わらない数の2乗算にもおもしろいものがあります。

＜パターン1＞

2乗する数が100や1000などの数に近いときに、上の公式を次のように変形して利用します。

$$A^2=(A+B)\times(A-B)+B^2$$

※A+BかA−Bを、100や1000などの基準の数にします。

たとえば、92^2ならば、A=92、B=8と入れて、

$$\begin{aligned}92^2&=(92+8)(92-8)+8^2\\&=100\times84+64\\&=8464\end{aligned}$$

と単純な計算で求めることができます。

985^2ならば、A=985、B=15として、

$$985^2=(985+15)(985-15)+15^2$$
$$=1000\times970+225$$
$$=970225$$

この問題のように、スキル11を用いるよりも、この方法のほうがすばやく答えを求めることができる場合もあります（スキル11だと、98×99を計算しなければならないので）。

＜パターン2＞

一の位が6である数を2乗するときには、上の公式を次のように変形して利用します。

$$A^2=B^2+(A+B)\times(A-B)$$

一の位が6である数を76だとして説明していきます。

A=76、B=75として、

$$76^2=75^2+(76+75)(76-75)$$

ここで、76−75=1なので、

$$76^2=75^2+76+75$$

75^2にはスキル11を用いて、

$$76^2=5625+75+76$$
$$=5776$$

＜パターン3＞

一の位が4である数を2乗するときも、上の公式を次のように変形して利用します。

$$B^2=A^2-(A+B)\times(A-B)$$

一の位が4である数を64だとして説明していきます。

A＝65、B＝64として、

$$64^2=65^2-(65+64)(65-64)$$

ここで、65−64＝1なので、

$$64^2=65^2-(65+64)$$

65^2にはスキル11を用いて、

$$64^2=4225-(65+64)$$
$$=4096$$

＜パターン2＞と＜パターン3＞を、まとめておきたいと思います。

一の位が6である数をXとすると、

$$X^2=(X-1)^2+X+(X-1)$$

一の位が4である数をXとすると、

$$X^2=(X+1)^2-X-(X+1)$$

ということになります。

スピードのことを考えると、スキル9のインド式たすきがけのほうが、速いかもしれませんね。

	6	4
×	6	4
36	8	6
4	1	
40	9	6

それでは、3つのパターンを使い分ける練習問題です。

練習が終わったら、2ケタと3ケタのかけ算については「インド式たすきがけ」で、たしかめ算をしてみましょう。答えが一致しましたね。

頭がよくなる練習問題

答えは次のページにあります。

３つのスキルを、うまく使い分けて、答えを求めてみましょう。

① $87^2=$

② $992^2=$

③ $1016^2=$

④ $99983^2=$

⑤ $119^2=$

⑥ $134^2=$

⑦ $64^2=$

⑧ $174^2=$

⑨ $76^2=$

⑩ $146^2=$

目からウロコの解答

① $87^2=100\times74+13^2=7400+169=7569$

② $992^2=1000\times984+8^2=984064$

③ $1016^2=1000\times1032+16^2=1032256$

④ $99983^2=100000\times99966+17^2$
$=9996600289$

⑤ $119^2=100\times138+19^2=13800+361$
$=14161$

⑥ $134^2=135^2-(135+134)=17956$

⑦ $64^2=65^2-(65+64)=4225-129=4096$

⑧ $174^2=175^2-(175+174)=30276$

⑨ $76^2=75^2+(75+76)=5625+75+76$
$=5776$

⑩ $146^2=145^2+(145+146)=21316$

スキル13

「136×134」——似ている数をかけると「不思議なこと」が！

3ケタのかけ算は「まず、一の位を見る」

一の位の数の和が10で、百と十の位の数が等しい3ケタの数のかけ算は、スキル2と同じように解くことができます。

136×134　の場合

❶ （等しい部分の数）×（等しい部分の数＋1）を計算して、右に2マスあけておきます（何ケタの数の時でも、2マスあけます）。

ここでは、13×14＝182

頭の中のイメージ

182□□

いちはちに一□□

❷ 次に、一の位どうしのかけ算をして、❶の答えの右に並べます。

ここでは、6×4＝24

頭の中のイメージ

18224

❸ 18224が答えになります。

この方法は、4ケタ、5ケタとケタ数が増えても、一の位の数の和が10であるならば、使うことができます。

9992×9998　の場合

❶ 999×1000＝999000

頭の中のイメージ

999000□□《きゅうきゅうきゅうぜろぜろぜろ□□》

❷ 2×8＝16

頭の中のイメージ

99900016

❸ 答えは、99900016です。

では、401×409の場合はどうでしょう。

① 40×41＝1640

② 1×9＝9

③ 答えは、16409？　いいえ。ちがうんです。

最初に説明したように、どんな場合でも２マスのスペースをあけておく必要があるので、次のように考えてください。

❶ 40×41＝1640

❷ 1×9＝9

❸ 答えは、164009

謎解き

3ケタの数の等しい部分の百の位、十の位の数をそれぞれa、bとします。一の位の数は、和が10になることから、一方の数の一の位の数をc、他方の数の一の位の数を$10-c$とおきます。そうすると、3ケタの数のかけ算は、次のように表すことができます。

$$
\begin{aligned}
&(100a+10b+c)\times(100a+10b+10-c)\\
&=\{10(10a+b)+c\}\times\{10(10a+b)+10-c\}\\
&=10^2(10a+b)^2+100(10a+b)-10c(10a+b)\\
&\quad+10c(10a+b)+c(10-c)\\
&=100(10a+b)(10a+b+1)+c(10-c)
\end{aligned}
$$

最後の行の、$(10a+b)$は（等しい部分の数）を表し、となりにある$(10a+b+1)$は、（等しい部分の数＋1）を表しています。それをかけ算してから100倍しているので、左に2ケタくり上がって（右に2マスのスペースをつくって）、そこに$c(10-c)$つまり、一の位の数どうしのかけ算の答えが入ることになるのです。

頭がよくなる練習問題

答えは次のページにあります。

ここで学んだスキルを使い、答えを求めてみましょう。

① 171×179＝

② 143×147＝

③ 128×122＝

④ 164×166＝

⑤ 998×992＝

⑥ 291×299＝

⑦ 9996×9994＝

⑧ 9997×9993＝

⑨ 1999×1991＝

⑩ 99998×99992＝

目からウロコの解答

① $171\times179=17\times18 \mid 1\times9$
$=30609$

② $143\times147=14\times15 \mid 3\times7$
$=21021$

③ $128\times122=12\times13 \mid 8\times2$
$=15616$

④ $164\times166=16\times17 \mid 4\times6$
$=27224$

⑤ $998\times992=99\times100 \mid 8\times2$
$=990016$

⑥ $291\times299=29\times30 \mid 1\times9$
$=87009$

⑦ $9996\times9994=999\times1000 \mid 6\times4$
$=99900024$

⑧ $9997\times9993=999\times1000 \mid 7\times3$
$=99900021$

⑨ $1999\times1991=199\times200 \mid 9\times1$
$=3980009$

⑩ $99998\times99992=9999\times10000 \mid 8\times2$
$=9999000016$

＊ ①、⑥、⑨は1×9を09とすることに注意！

スキル14

「211×289」——さて、この数から何が見える？

「下2ケタの合計が100」になる数は、要注意！

またまた不思議なかけ算の登場です。

下２ケタの数の和が100で、他の位の数が等しい数のかけ算は、次のように解くことができます。

211×289　の場合

❶ （等しい部分の数）×（等しい部分の数＋1）を計算して、右に４マスあけておきます（何ケタの数のときでも、４マスあけます。その理由は謎解きで説明します）。

頭の中のイメージ

6 □□□□

ここでは、2×3=6

❷ 次に、下２ケタの数どうしのかけ算をして、❶の答えの右に並べます。

スキル５を用いて

11×89=979

＊４マスあるので、0979にします。

手元に計算用紙を用意すると、楽に解けますよ！

頭の中のイメージ

60979

③ 答えは、60979です。

次はどうでしょうか。

1628×1672　の場合

① 16×17=272
＊スキル1を使います。

頭の中のイメージ

272□□□□

② 28×72=2016
＊スキル9を使います。

	2	8
×	7	2
14	0	6
6	1	
20	1	6

❸ 答えは、2722016です。

謎解き

まず、3ケタの数で説明します。等しくなっている百の位の数をaとおきます。下2ケタの数は、和が100になることから、一方の数をb、他方の数を$100-b$とおきます。そうすると、3ケタの数のかけ算は、次のように表すことができます。

$$
\begin{aligned}
&(100a+b)\times(100a+100-b)\\
=&100a\times100a+100a\times100-100a\times b\\
&+b\times100a+b\times(100-b)\\
=&10000(a^2+a)+b(100-b)\\
=&10000a(a+1)+b(100-b)
\end{aligned}
$$

最後の行の$a(a+1)$は（等しい部分の数）×（等しい部分の数＋1）を表し、10000倍しているので、左に4ケタくり上がって（右に4マスのスペースをつくって）、そこに$b(100-b)$つまり、下2ケタの数どうしのかけ算の答えが入ることになるのです。

では、4ケタの場合は、どうなるのでしょうか。

今の謎解きに、千の位の数xを加えてみましょう。4ケタの数のかけ算は、こうなります。

$$(1000x+100a+b)\times(1000x+100a+100-b)$$
$$=\{100(10x+a)+b\}\times\{100(10x+a)+100-b\}$$

ここで、$(10x+a)$は等しい部分の数になっています。そこで、$(10x+a)=c$とすると、

$$(100c+b)\times(100c+100-b)$$
$$=100c\times100c+100c\times100-100c\times b+100c\times b$$
$$+b\times(100-b)$$
$$=10000(c^2+c)+b(100-b)$$
$$=10000c(c+1)+b(100-b)$$

となって、結局、最後の行の$c(c+1)$が(等しい部分の数)×(等しい部分の数＋1)を表していて、10000倍することによって、左に4ケタくり上がる(右に4マスのスペースをつくる)という仕組みに何ら変わりはないことがわかります。これが、何ケタになっても、右に4マスあけておく理由なのです。

練習問題では、暗算できない計算はインド式たすきがけを使ってみてください。

頭がよくなる練習問題

答えは次のページにあります。

ここで学んだスキルを使い、答えを求めてみましょう。

① 889×811＝

② 1111×1189＝

③ 397×303＝

④ 1906×1994＝

⑤ 136×164＝

⑥ 198×102＝

⑦ 444×456＝

⑧ 632×668＝

⑨ 1490×1410＝

⑩ 658×642＝

目からウロコの解答

① $889 \times 811 = 8 \times 9 \mid 89 \times 11$
$= 720979$

② $1111 \times 1189 = 11 \times 12 \mid 11 \times 89$
$= 1320979$

③ $397 \times 303 = 3 \times 4 \mid 97 \times 3$
$= 120291$

④ $1906 \times 1994 = 19 \times 20 \mid 6 \times 94$
$= 3800564$

⑤ $136 \times 164 = 1 \times 2 \mid 36 \times 64$
$= 22304$

⑥ $198 \times 102 = 1 \times 2 \mid 98 \times 2$
$= 20196$

⑦ $444 \times 456 = 4 \times 5 \mid 44 \times 56$
$= 202464$

⑧ $632 \times 668 = 6 \times 7 \mid 32 \times 68$
$= 422176$

⑨ $1490 \times 1410 = 14 \times 15 \mid 90 \times 10$
$= 2100900$

⑩ $658 \times 642 = 6 \times 7 \mid 58 \times 42$
$= 422436$

スキル15

4ケタかけ算――「6本の線」を引くだけで!

「4ケタ×4ケタ」のインド式たすきがけ

4ケタどうしのかけ算も、スキル9、スキル10で学んだたすきがけと基本は同じ、手順もほとんど同じですから、すぐに使えるようになりますよ。

1384×2657　の場合

❶ 2段に数字を書いて、線の下に7つのスペースをつくります。最初に、千の位どうしをかけて、いちばん左端のスペースに入れます。

$1 \times 2 = 2$

```
    1384
  × 2657
―――――――――――――――――
 2 |  |  |  |  |  |
```

❷ 次の図の矢印のようにたすきがけをして、その和を左から順に、あいているスペースに入れていきます。

1×6＋3×2＝12

　1384
×2657

2 | 12 | | | | |

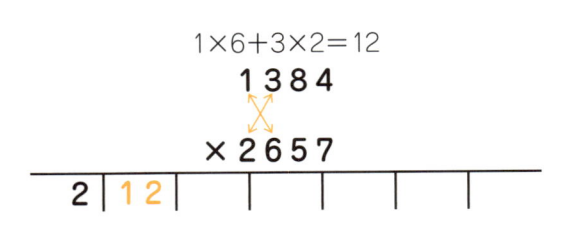

③ 次のたすきがけをします。

1×5＋8×2＋3×6＝39

　1384
×2657

2 | 12 | 39 | | | |

④ 続けます。

1×7＋4×2＋3×5＋8×6＝78

　1384
×2657

2 | 12 | 39 | 78 | | |

⑤ あと少しです。

3×7＋4×6＋8×5＝85

　　1384
×2657

2	12	39	78	85		

❻ ラスト2回！

8×7+4×5=76

　　1384
×2657

2	12	39	78	85	76	

❼ 最後は、たてにかけます。

4×7=28

　　1384
×2657

2	12	39	78	85	76	28

❽ くり上がりの処理をして、**一の位から**たしていきます。

			1	3 8	4	
		×2	6	5	7	
2	12	39	78	85	76	28
2	2	9	8	5	6	8
1	3	7	8	7	2	
3	6	7	7	2	8	8

9 答えは、3677288です。

最後にくり上がりの処理をするのではなく、最初から書き方を工夫すれば、すっきりした形で計算できます。

			1	3 8	4	
		×2	6	5	7	
2	2	9	8	5	6	8
1	3	7	8	7	2	
3	6	7	7	2	8	8

ケタが増えると、たてに伸びてしまう日本式と比べて非常に見やすく、すっきりしていますね。

頭がよくなる練習問題

答えは次のページにあります。

ここで学んだスキルを使い、答えを求めてみましょう。

① 2461×3578＝

② 8532×5496＝

③ 1384×2657＝

④ 7029×4624＝

⑤ 7353×9287＝

⑥ 8158×3092＝

⑦ 2209×6174＝

⑧ 4935×8517＝

⑨ 8937×2115＝

目からウロコの解答

①

2461
×3578

6	2	2	7	9	5	8
2	5	7	7	5		
8	8	0	5	4	5	8

②

8532
×5496

40	7	7	5	5	6	2
5	0	1	6	3	1	
1	1					
46	8	9	1	8	7	2

③

1384
×2657

2	2	9	8	5	6	8
1	3	7	8	7	2	
3	6	7	7	2	8	8

④

7029
×4624

28	2	2	6	8	6	6
4	2	7	5	2	3	
32	5	0	2	0	9	6

⑤

7353
×9287

63	1	7	0	7	9	1
4	0	1	6	5	2	
1	1					
68	2	8	7	3	1	1

⑥

8158
×3092

24	3	7	9	7	2	6
	8	4	4	8	1	
25	2	2	4	5	3	6

⑦

2209
×6174

12	4	6	6	7	3	6
1	1	7	1	6	3	
13	6	3	8	3	6	6

⑧

4935
×8517

32	2	3	2	1	6	5
9	7	9	9	2	3	
42	0	3	1	3	9	5

⑨

8937
×2115

16	6	3	6	5	2	5
2	2	6	5	2	3	
18	9	0	1	7	5	5

スキル16

究極のかけ算――「ここまで読んだ人」ならたちまち！

「5ケタ×5ケタ」のインド式たすきがけ

いよいよ本書で扱う最大のケタ数である**5ケタのかけ算**です。**ケタが増えても考え方は前と同じ。**1ケタずつのかけ算をくり返します。線の下のスペースは9つ。たすきがけの順序は次のようになります。

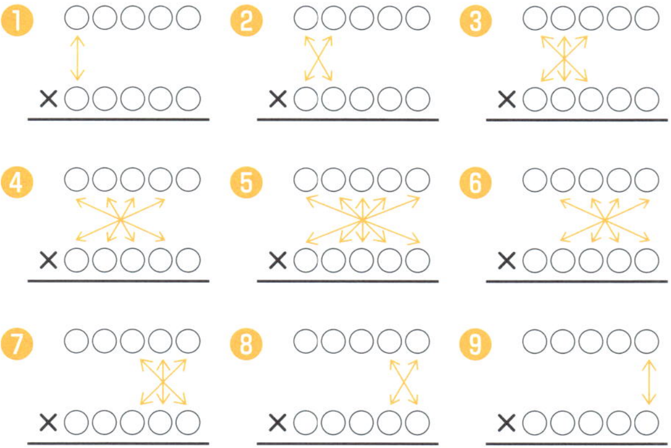

35212×49781　の場合

❶ 3×4=12

❷ 3×9+5×4=47

❸ 3×7+2×4+5×9=74

❹ 3×8+1×4+5×7+2×9=81

❺ 3×1+2×4+5×8+1×9+2×7=74

❻ 5×1+2×9+2×8+1×7=46

❼ 2×1+2×7+1×8=24

❽ 1×1+2×8=17

❾ 2×1=2

なので、

35212
×49781

12	7	4	1	4	6	4	7	2
4	7	8	7	4	2	1		
17	5	2	8	8	8	5	7	2

　となります。ここまできたら、まちがいをふせぐためにも**途中の計算を紙に書きながら、**問題に挑戦してみましょう。

頭がよくなる練習問題

答えは次のページにあります。

ここで学んだスキルを使い、答えを求めてみましょう。

① 23581×67490＝

② 42031×75896＝

③ 34157×86582＝

④ 58365×19924＝

目からウロコの解答

① 23581×67490

=1591481690

23581

×67490

12	2	9	3	9	4	6	9	0
3	5	1	0	8	7			
	1	1						
15	9	1	4	8	1	6	9	0

② 42031×75896

=3189984776

42031

×75896

28	4	2	3	4	1	5	7	6
3	4	7	6	4	3	2		
31	8	9	9	8	4	7	7	6

③　34157×86582

＝2957381374

34157
×86582

24	0	7	0	9	3	7	6	4
5	4	9	2	8	7	6	1	
		1						
29	5	7	3	8	1	3	7	4

④　58365×19924

＝1162864260

58365
×19924

5	3	0	5	2	7	9	4	0
5	2	1	2	3	6	3	2	
1	1	1	1					
11	6	2	8	6	4	2	6	0

スキル17

速い！　この計算力はもう「自分の頭」とは思えない!?

「2ケタ×3ケタ・4ケタ」のインド式たすきがけ

これまでに学んだインド式たすきがけは、2ケタ×3ケタというように、ケタ数の異なる数のかけ算にも、もちろん力を発揮します。例えば、3ケタ×3ケタのたすきがけの順序は次の通りでした。

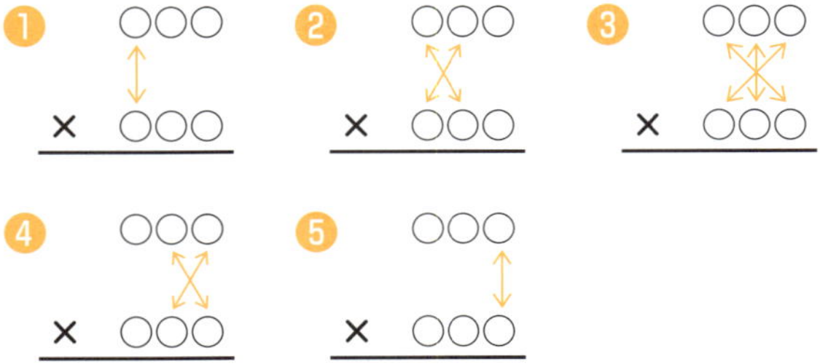

2ケタ×3ケタのときは、下の段の百の位を0（ゼロ）にして、同じように計算していけばよいのです。

0をかけても0にしかなりませんので、実際に計算するのは次の図の色の付いた矢印のところだけということになります。

❶
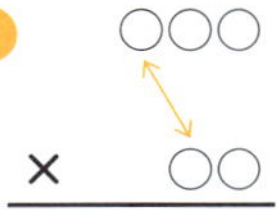

❷
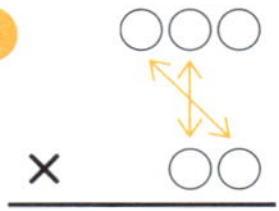

❸
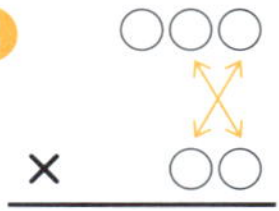

❹
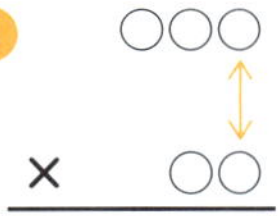

246×37で計算してみると、

246
× 37

6	6	6	2
2	4	4	
9	1	0	2

同じように、2ケタ×4ケタを計算するときは、4ケタ×4ケタのたすきがけの順序を考えて、

❶
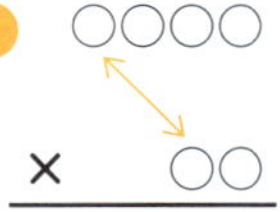

❷
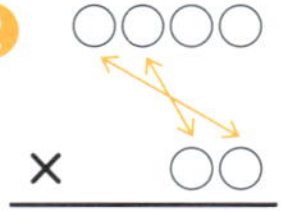

❸
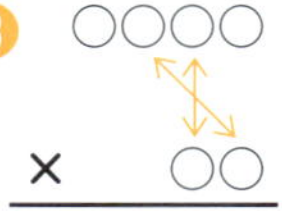

④
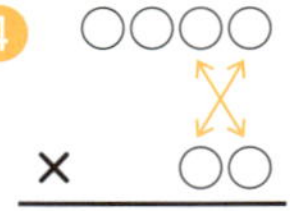

⑤
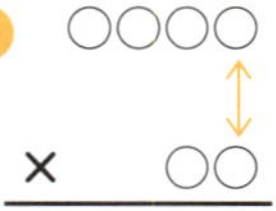

となります。

2485×62ならば、

2485

× 62

12	8	6	6	0
2	5	4	1	
15	4	0	7	0

つまり、3ケタ×4ケタならば、

①
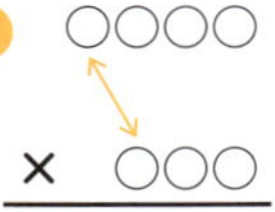

②
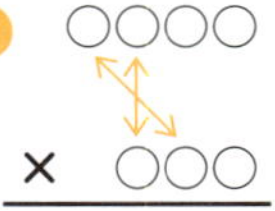

③
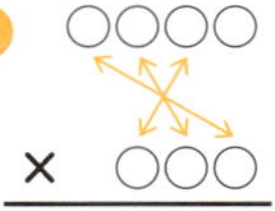

④
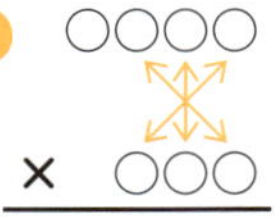

⑤
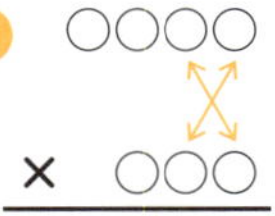

⑥
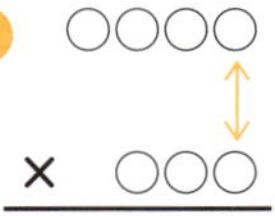

とすればよいのです。

頭がよくなる練習問題

答えは次のページにあります。

ここで学んだスキルを使い、答えを求めてみましょう。

① 507×62＝

② 871×48＝

③ 1896×73＝

④ 3785×24＝

⑤ 2954×981＝

⑥ 5231×678＝

目からウロコの解答

① 507×62=31434

507
× 62

30	0	2	4
1	4	1	
31	4	3	4

② 871×48=41808

871
× 48

32	2	0	8
9	6		
41	8	0	8

③ 1896×73=138408

1896
× 73

7	9	7	9	8
5	8	6	1	
13	8	4	0	8

④　3785×24=90840

	3	7	8	5
×			2	4
6	6	4	2	0
2	4	4	2	
9	0	8	4	0

⑤　2954×981=2897874

		2	9	5	4
	×		9	8	1
18	7	9	5	7	4
9	1	8	3		
1					
28	9	7	8	7	4

⑥　5231×678=3546618

		5	2	3	1
	×		6	7	8
30	7	2	3	1	8
4	7	4	3		
35	4	6	6	1	8

スキル18

数字マジック――「3乗」「4乗」も瞬時に解く！

タネ明かし！「103^3・11^4がなぜサッとわかる？」

かけ算も最後になりました。ここで驚きのスキルを紹介したいと思います。

まずは、３乗（同じ数を３回かけた値）をどれだけ簡単に、そして美しく求めるのかを見てください。

11^3は、

$$\begin{array}{c} 1\,1\,1\,1 \\ 2\,2 \\ \hline 1\,3\,3\,1 \end{array}$$

というように書いて、1331と求めます。後半の謎解きを読んで、その発想方法を知ると、「インド式かんたん計算法」のおもしろさがこれまで以上におわかりいただけると思います。

さあ、それではさっそく３乗の求め方を説明していきましょう。上の例とは異なる数の３乗を使います。

12^3　の場合

❶ まず、(一の位の数)÷(十の位の数)を計算した値(比の値)を求めます。ここでは、　2÷1=2

そして、4つのスペースを作っておきます。説明のため、左のスペースから、左、中$_1$、中$_2$、右と名前を付けておきます。

左　中$_1$　中$_2$　右

　|　|　|

❷ 左には、(十の位の数)^{3}の値を入れます。
ここでは、　$1^3=1$

中$_1$には、(左の数)×(比の値)を入れます。
ここでは、　1×2=2

中$_2$には、(中$_1$の数)×(比の値)を入れます。
ここでは、　2×2=4

右には、(中$_2$の数)×(比の値)　を入れます。
ここでは、　4×2=8

左　中$_1$　中$_2$　右

1 | 2 | 4 | 8

❸ 中$_1$の下に(中$_1$の数)×2を書きます(比の値とは関係なく、いつでも×2です)。

ここでは、2×2=4

中$_2$の下に　(中$_2$の数)×2を書きます(比の値とは関係なく、いつでも×2です)。

ここでは、4×2=8

左	中$_1$	中$_2$	右
1	2	4	8
	4	8	

❹ 上下に数字をたして、それぞれのスペースに1つ（1ケタ）の数字が入るように、くり上げの処理をしていきます。

左	中$_1$	中$_2$	右
1	2	4	8
	4	8	
1	7	2	8

くり上がり

❺ 答えは1728となります。

12^3のように、2ケタの数の3乗を求める場合はスペースに1つ（1ケタ）の数字が入り、256^3のように、3ケタの数の3乗ならば、スペースに入る数字は2つ（2ケタ）、6357^3のような4ケタの数ならば、3つ（3ケタ）と変化することに注意してください。

それでは、3ケタや4ケタの数の3乗を見ていきましょう。

103^3　の場合

（下2ケタの数）÷（百の位の数）を計算して、比の値を求めます。ここでは、　3÷1＝3

いちばん左のスペースには、（百の位の数）^{3}、つまり$1^3=1$を入れます。

あとは、２ケタの場合と同じようにしていきます。

	×3	×3	×3
1	3	9	27
	6	18	
1	9	27	27

完成！　と言いたいところですが、それぞれのスペースには２つ（２ケタ）の数字が入るので、次のようにしなければなりません。

1	3	9	27
	6	18	
1	09	27	27

これで、OKです。答えは1092727　となります。

次は、４ケタの数の３乗です。

2004^3 の場合

比の値は、(下３ケタの数)÷(千の位の数)を計算します。　$4 \div 2 = 2$

いちばん左の数は、(千の位の数)^{3}なので、$2^3 = 8$

そして、それぞれのスペースは、３マス(３ケタ)です。

8	16	32	64
	32	64	
8	048	096	064

答えは、8048096064となります。

謎解き

まず、日本の学校において、高校１年生で習う公式を紹介します。

$(a+b)^3 = a^3 + 3a^2b + 3ab^2 + b^3$

$(a+b)^3$とは、$(a+b) \times (a+b) \times (a+b)$を意味していて、順番に分配法則を使って計算していくと、$a^3 + 3a^2b + 3ab^2 + b^3$になることが分かります(ふつうは暗記するように教えられますが、複雑で、あまり人気のある公式ではありません)。この公式を次のように利用します。

２ケタの数を、$10a+b$と表すと、公式から、

$(10a+b)^3 = 10^3 \times a^3 + 10^2 \times 3a^2b + 10 \times 3ab^2 + b^3$

となります。この式でa^3にかけられている10^3が、

a^3の右に**3ケタ(3マス)のスペース**があることを意味しているのは、これまでと同じです。そうすると、$3a^2b$の右には2ケタ(2マス)、$3ab^2$の右には1ケタ(1マス)のスペースがあることになり、次のように書いてやることができます。

$$a^3 \mid 3a^2b \mid 3ab^2 \mid b^3$$

ここで、$3a^2b=2a^2b+a^2b$、$3ab^2=2ab^2+ab^2$なので、書き方を変えて、上下2段で表してやります。

$$\begin{array}{c|c|c|c} a^3 & a^2b & ab^2 & b^3 \\ & 2a^2b & 2ab^2 & \end{array}$$

そうすると、上の段の文字の並び方に規則性があることに気が付きませんか。スペースの文字に$\frac{b}{a}$をかけると右どなりの文字になっていくのです。この$\frac{b}{a}$こそ(一の位の数)÷(十の位の数)すなわち**比の値**にほかなりません。つまり、a^3を求めて比の値をかけていけば上の段は決定し、下の段の文字は上の段を求めてから2倍して求めます。そして最後に、上下にたしていけば、$a^3 \mid 3a^2b \mid 3ab^2 \mid b^3$になっているという仕組みだったのです。

$$\begin{array}{c|c|c|c} a^3 & a^2b & ab^2 & b^3 \\ & 2a^2b & 2ab^2 & \\ \hline a^3 & 3a^2b & 3ab^2 & b^3 \end{array}$$

この仕組みを利用すれば、

$(a+b)^4=a^4+4a^3b+6a^2b^2+4ab^3+b^4$

を使って、たとえば、11^4を、

$$\begin{array}{c} 1\ 1\ 1\ 1\ 1 \\ 3\ 5\ 3 \\ \hline 1\ 4\ 6\ 4\ 1 \end{array}$$

のようにして、かんたんに求めることもできるのです。複雑な計算が、豊かな発想によって単純なものに生まれ変わるのです。

つまり「かんたん→どんどん解けるようになる→楽しくなる」のです。

頭がよくなる練習問題

答えは次のページにあります。

ここで学んだスキルを使い、答えを求めてみましょう。

① $14^3=$

② $25^3=$

③ $31^3=$

④ $102^3=$

⑤ $10003^3=$

目からウロコの解答

① $14^3=2744$（比の値　4）

1	4	16	64
	8	32	
1	12	48	64
1	2	8	4
1	4	6	
2	7	4	4

② $25^3=15625$（比の値　$\frac{5}{2}$）

8	20	50	125
	40	100	
8	60	150	125
8	0	0	5
6	5	2	
1	1		
15	6	2	5

③ $31^3=29791$（比の値 $\frac{1}{3}$）

27	9	3	1
	18	6	
27	27	9	1
27	7	9	1
2			
29	7	9	1

④ $102^3=1061208$（比の値　2）

1	2	4	8
	4	8	
1	06	12	08

＊スペースに2ケタの数が入ります。

⑤ $10003^3=1000900270027$（比の値　3）

1	3	9	27
	6	18	
1	0009	0027	0027

＊スペースに4ケタの数が入ります。

COLUMN②

インド人の「数学能力」はなぜ高い？

「一一が、一」に始まって、「九九、八一」に終わる日本の九九――世界に誇る日本の文化である。

ただ、「かけ算の答えを暗記する」という文化は、日本独自のものではない。知っている人も多いだろうが、インドにも九九がある。しかも、インドの九九は、日本のように１ケタのかけ算だけではない。厳密には「九九」とは呼べないかもしれないが、２ケタのかけ算まであるのだ。

インドの九九は、「1×1＝1」から「30×10＝300」まで、300個のかけ算を覚えるのが基本。つまり、２ケタどうしのかけ算でなく、「２ケタ×１ケタ」が基本になる。そのバリエーションとして「19×19」といった２ケタどうしのかけ算を覚えることもある。しかも、驚くべきことに、「五分の二×2」といった「分数の九九」まであるのだ。さらには、「１の２乗」から「30の２乗」まで、30個の２乗を暗記するのが一般的だ。

インド人の数学的能力が高い最大の理由が、まさにここにある。これだけの量の数式を暗記しているため、「数の引き出し」が多いのである。暗算が速いのはもちろん、数に対する感性・感覚が非常に鋭敏になっていると言われている。

インド式かんたん

わり算

まだある！　頭がよくなる魔法「2つのスキル」

インド式かんたんわり算には
いろいろな方法があります。
ここでは、そのなかから、最も基本的な
補数を使ったわり算を紹介します。

3章

スキル1

「9でわるわり算」は、式を見ただけでわかる?

「152」を「1+5+2=8」と考えると……なんと!

かけ算を通じて、「インド式かんたん計算法」の楽しさを味わっていただけたことと思います。

この章では、楽しいわり算のスキルを紹介したいと思います。まずは(3ケタの数)÷9を使って、9でわるわり算の方法を見ていくことにします。

152÷9　の場合

わり算の商(答えのことです)と余りを、次のように求めます。

❶ いちばん高い位(いちばん左の数字のことです)の数字を書きます。ここでは、百の位の数字1のことです。

❷ 上から2ケタの数字をたした値を、❶の数字の右に書きます。ここでは、1+5=6なので、6のことです。

❸ すべての位の数字をたした値を、❷の数字の右に

書きます。ここでは、1+5+2=8なので、8のことです。
そうすると、

1　6　8

となります。この3つの数字のうち、最後の計算で求めた数字が余りとなっていて、それ以外の数字が商となっています。つまり、

商16、余り8

となるのです。もう一度やってみます。

321÷9　の場合

3｜3+2｜3+2+1　→　3　5　6なので
商35、余り6となります。ただし、最後の余りの数字がまだ9でわれるときは、その余りの数字を9でわった商をくり上げてから、余りを求めます。たとえば、

246÷9　の場合

2｜2+4｜2+4+6　→　2　6　12
ここで、最後の数字12を9でわったときの商1を上の位にくり上げて、商27、余り3とします。
ケタ数が増えても、同じように商と余りを求めることができます。

11201÷9　の場合

1 | 1+1 | 1+1+2 | 1+1+2+0 | 1+1+2+0+1
→　1　2　4　4　5　なので、**商1244、余り5**

謎解き

例えば、55を9でわった商と余りを考えるときに、

$$55=9\times6+1$$

という式を作り、商が6で余りが1だと求める方法を利用します。

3ケタの数を $100\times a+10\times b+c$ とおくと、

$100\times a+10\times b+c$
$=90\times a+9\times a+9\times b+a+b+c$ 〜〜部分を9でまとめます。
$=9\times(10\times a+a+b)+a+b+c$

となるので、商は $10\times a+a+b$、余りは $a+b+c$ だと分かります。商の式を見ると、$10\times a$ から、a（3ケタの数の百の位の数）の右に1ケタ（1マス）スペースがあること、そして $a+b$ をたしていることから百の位と十の位の数字の和がそのスペースに入ることが分かります。また、余りはすべての位の数字の和になっています。

ケタ数が増えても、上で説明したのと同じように、式を変形していくと、商と余りが**わり算をせずに、式を見ただけで簡単に求められる**ことがわかります。

頭がよくなる練習問題

答えは次のページにあります。

ここで学んだスキルを使い、答えを求めてみましょう。

① 224÷9＝

② 305÷9＝

③ 1012÷9＝

④ 13402÷9＝

⑤ 269÷9＝

⑥ 100128÷9＝

⑦ 23011÷9＝

⑧ 102416÷9＝

目からウロコの解答

① 224÷9=24、余り8

考え方　2 | 2+2 | 2+2+4→2 | 4 | 8

② 305÷9=33、余り8

考え方　3 | 3+0 | 3+0+5→3 | 3 | 8

③ 1012÷9=112、余り4

考え方　1 | 1+0 | 1+0+1 | 1+0+1+2→1 | 1 | 2 | 4

④ 13402÷9=1489、余り1

考え方　1 | 1+3 | 1+3+4 | 1+3+4+0 | 1+3+4+0+2
→1 | 4 | 8 | 8 | 10→1 | 4 | 8 | 9 | 1

⑤ 269÷9=29、余り8

考え方　2 | 2+6 | 2+6+9→2 | 8 | 17→2 | 9 | 8

⑥ 100128÷9=11125、余り3

考え方　1 | 1+0 | 1+0+0 | 1+0+0+1 | 1+0+0+1+2
| 1+0+0+1+2+8→1 | 1 | 1 | 2 | 4 | 12→1 | 1 | 1 | 2 | 5 | 3

⑦ 23011÷9=2556、余り7

考え方　2 | 2+3 | 2+3+0 | 2+3+0+1 | 2+
3+0+1+1→2 | 5 | 5 | 6 | 7

⑧ 102416÷9=11379、余り5

考え方　1 | 1+0 | 1+0+2 | 1+0+2+4 | 1+0+2+4+1
| 1+0+2+4+1+6→1 | 1 | 3 | 7 | 8 | 14→1 | 1 | 3 | 7 | 9 | 5

スキル2

「10046」を「100と46に分ける」すごい技

「インド式かんたん計算」だから、わり算まで驚くほど楽しい！

わる数が100、1000、10000、……などのキリのよい数に近いとき、**わる数とそのキリのよい数との差（補数）を利用して、わり算を行う方法**を紹介します。

10046÷89　の場合

❶ **わる数のケタ数**に合わせて、わられる数を、線を使って2つの領域に分けます（線の右側が余りのエリアになります）。ここでは、わる数**89の2ケタ**にそろえるので、

89　　　100 | 46

となります。

❷ 次に、89の100に対する補数である**11**を89の下に書いておきます。

$$\begin{array}{c} 89 \\ \hline 11 \end{array} \qquad 100 \mid 46$$

③ わられる数のいちばん高い位の数字を、下につくった商のエリアに下ろしてきます。

89	100	46
11	↓	
＜商のエリア＞	1	

④ 下ろした数字と補数である数（ここでは11）をかけた値を、わられる数の高いほうから2番目の位の下から書き始めます。

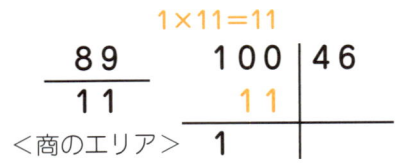

$1 \times 11 = 11$

89	100	46
11	11	
＜商のエリア＞	1	

⑤ 次に、今書いた数の十の位の数と、上の段のわられる数の十の位の数を上下にたした値を、商のエリアに下ろします。

$0 + 1 = 1$

89	100	46
11	11	
	↓	
＜商のエリア＞	11	

❻　今おろしてきた数字と補数をかけた値を、3段目に先ほどと同じように、位をずらして書き入れます。

1×11＝11

89		1 0 0	46
11		1 1	
	＜商のエリア＞	1	1
		1 1	

❼　わられる数の百の位から、上下に数字をたした値を商のエリアに書き下ろします。

0＋1＋1＝2

（商のエリアの端まできたので、商はこれで決定です）

89		1 0 0	46
11		1 1	
		1	1
		↓	
	＜商のエリア＞	1 1 2	

❽　いま商のエリアに書いた数字を補数にかけた値を、4段目に同じようにずらして書きます。

2×11=22

	89	100	46
	11	11	
		1	1
			22
＜商のエリア＞		112	

❾ 線の右側の余りのエリアの数字を、一の位から順に上下にたして（必要な場合はくり上げの処理をして）、下に書き下ろします。

46＋10＋22＝78

	89	100	46	
	11	11		
		1	1	
			22	
＜商のエリア＞		112	78	＜余りのエリア＞

❿ **商が112、余りが78**となります。

補数が、次のような数になる場合は注意が必要です。

1020102÷99987　の場合

補数は100000－99987＝13ですが、わる数の99987のケタ数にそろえて、00013と書き入れていきます。わる数99987は５ケタなので、余りのスペースも５ケタにして、先ほどの手順で計算していきます。

99987	10	20102
00013	0	0013
		0
＜商のエリア＞	10	20232

商が10、余りが20232となります。

次は、余りのエリアの数がわる数よりも大きく、まだわり算が可能である場合の計算方法を説明します。

186÷87　の場合

87の補数は、100－87＝13であり、余りのエリアは２ケタですので、

87	1	86
13	↓	13
＜商のエリア＞	1	99

となるのですが、余りのエリアの数をたすと、99となり、わる数の87より大きくなっていますので、99÷87＝1、余り12より、商を1くり上げます。

87	1	86
13		13
＜商のエリア＞	1	99
	2	12

よって、**商が2で、余りが12**となります。

補数を使ったわり算の原理を簡単に説明すると、こうです。

例えば、300÷98を実際に計算するのではなく、98に近い100を使って、300÷100＝3と商を求めてやり、98と100との差2（補数）も3倍して、余りを求めていきます。

2×3＝6（余り）

わる数が、キリのよい数に近いときと限定されるのは事実ですが、このような考え方は、工夫しだいでほかの計算にも利用できそうです。

頭がよくなる練習問題

答えは次のページにあります。

ここで学んだスキルを使い、答えを求めてみましょう。

① 12345÷8898＝

② 1100100÷999888＝

③ 13579÷879＝

④ 202046÷9797＝

⑤ 11011011÷99989＝

⑥ 1189÷96＝

目からウロコの解答

① 商　1、余り　3447

$$\frac{8898}{1102}$$

	1	2345
		1102
＜商のエリア＞	1	3447

② 商　1、余り　100212

$$\frac{999888}{000112}$$

	1	100100
		000112
＜商のエリア＞	1	100212

③ 商　15、余り　394

$$\frac{879}{121}$$

	13	579
	1	21
		484
＜商のエリア＞	14	1273 *
	15	394

＊1273÷879＝1、余り394を使って、くり上げてください。

④　商　20、余り　6106

9797		20	2046
0203		0	406
	<商のエリア>	20	6106

⑤　商　110、余り　12221

99989		110	11011
00011		00	011
		0	0011
	<商のエリア>	110	12221

⑥　商　12、余り　37

96		11	89	
04		0	4	
			04	
	<商のエリア>	11	133	＊
		12	37	

＊133÷96＝1、余り37を使って、くり上げてください。

COLUMN③

「インド式計算」でＩＴ能力が高まる!?

「インド式計算」が注目されている。

理由はいたってかんたん。インドがめざましい勢いで経済成長を遂げつつあるからだ。

ただ、経済成長だけで考えれば、中国は年９〜10％の成長を続け、外貨準備高は１兆ドルを超えている。その中国よりもなぜ、インドに注目が集まるのだろうか？

それは、インドの経済成長が「ＩＴ力」を基盤にしているからだ。

10年ほど前、ＩＴ革命が巻き起こったとき、アメリカのシリコンバレーがその中心であった。当時、シリコンバレーには、世界中からＩＴ能力の高いエリートたちが集まっていたが、インド人が意外に多かったことが話題になっていた。

優秀で質の高いエンジニアがたくさんいるインドが、21世紀になって急速に成長しはじめたのは偶然ではない。ある意味、必然だった。20世紀後半のシリコンバレーがそのままインドに移った感さえある。

インド式計算が注目されている理由は、ただ単にインドが経済成長しているからではない。その背景には、このようにＩＴのグローバル化といったことがあるのである。

※本書は、本文庫のために書き下ろされたものです。

ニヤンタ・デシュパンデ（Niyanta Deshpande）
一九七三年インド・ムンバイ（旧ボンベイ）生まれ。高校時代、日本映画を通して日本に興味を持ち、日本語を学習する。ボンベイ大学心理学科卒業後、同大学にてＭＢＡ取得。九三年初来日。九八年に再来日し、ＩＴ企業の技術指導に務める。その間、在日インド人の子弟教育の必要性を強く感じ、二〇〇六年在日インド人学校グローバル・インディアン・インターナショナル・スクール（ＧＩＩＳ）東京校を設立。現在、ＧＩＩＳの日本代表を務める。インド計算の面白さ、素晴らしさを多くの日本人に知ってもらおうと、各メディアで活躍。監修書に『脳をきたえるインド数学ドリル入門編』『脳をきたえるインド数学ドリル中級編』（日東書院本社）など多数がある。

水野 純（みずの・じゅん）
一九六五年生まれ。八四年横浜国立大学経済学部国際経済学科入学。在学中、インド経済に興味を持ったことがきっかけで、古代インドのヴェーダ数学をはじめとしたインド数学の研究に没頭する。その後、インド数学を日本の高等数学に活かす「水野メソッド」を開発。数学が苦手な生徒たちの潜在能力開発に務めている。

知的生きかた文庫

インド式《しき》かんたん計算法《けいさんほう》

監修者　ニヤンタ・デシュパンデ
著　者　水野《みずの》 純《じゅん》
発行者　押鐘太陽
発行所　株式会社三笠書房
〒一〇二―〇〇七二　東京都千代田区飯田橋三―三―一
電話〇三―五二二六―五七三四〈営業部〉
〇三―五二二六―五七三一〈編集部〉
http://www.mikasashobo.co.jp
印刷　誠宏印刷
製本　若林製本工場

ISBN978-4-8379-7658-5 C0141

知的生きかた文庫

こちら、横浜国大「そらの研究室」！

天気と気象の特別授業

筆保弘徳
今井明子
広瀬 駿

虹のしくみから、天気予報番組の舞台裏、異常気象の真犯人まで、空の楽しみ方がわかる「特別授業」！ 雲や虹など「空の動画」が視聴できるQRコード付き!!

東大脳クイズ

――「知識」と「思考力」がいっきに身につく

QuizKnock

東大発の知識集団による、解けば解くほどクセになる「神クイズ348問」！ 東大生との真剣バトルが楽しめる、「東大生正解率」つき。さあ、君は何問解けるか⁉

ハーバード流交渉術

ロジャー フィッシャー、
ウィリアム ユーリー【著】
金山宣夫、浅井和子【翻訳】

ハーバード大学交渉学研究所のスタッフが開発した、画期的交渉術。「相手のほうが強い」「汚い手口を使ってきた」といった場面でも、有利に交渉を進められる！

スマイルズの世界的名著

自助論

S.スマイルズ【著】
竹内 均【訳】

「天は自ら助くる者を助く」――。刊行以来今日に至るまで、世界数十カ国の人々の向上意欲をかきたて、希望の光明を与え続けてきた名著中の名著！

人に勝ち、自分に克つ
強靭な精神力を鍛える

武士道

新渡戸稲造
奈良本辰也【訳・解説】

日本人の精神の基盤は武士道にあり。武士は何を学び、どう己を磨いたか。本書は、強靭な精神力を生んだ武士道の本質を見事に解き明かす。

C50406